A prece

A piece

A prece

CONFORME
O EVANGELHO SEGUNDO O ESPIRITISMO

por
Allan Kardec

Tradução de Guillon Ribeiro

FEB

Copyright © 2006 *by*
FEDERAÇÃO ESPÍRITA BRASILEIRA – FEB

55ª edição – 5ª impressão – 1,5 mil exemplares – 1/2025

ISBN 978-65-5570-000-8

Do original francês:
L'Évangile selon le Spiritisme
Caps. XXV ao XXVIII

Todos os direitos reservados. Nenhuma parte desta publicação pode ser reproduzida, armazenada ou transmitida, total ou parcialmente, por quaisquer métodos ou processos, sem autorização do detentor do *copyright*.

FEDERAÇÃO ESPÍRITA BRASILEIRA – FEB
SGAN 603 – Conjunto F – Avenida L2 Norte
70830-106 – Brasília (DF) – Brasil
www.febeditora.com.br
editorial@febnet.org.br
+55 61 2101 6161

Pedidos de livros à FEB
Comercial
Tel.: (61) 2101 6161 – comercial@febnet.org.br

Adquirindo esta obra, você está colaborando com as ações de assistência e promoção social da FEB e com o Movimento Espírita na divulgação do Evangelho de Jesus à luz do Espiritismo.

Dados Internacionais de Catalogação na Publicação (CIP)
(Federação Espírita Brasileira — Biblioteca de Obras Raras)

K18p   Kardec, Allan, 1804–1869

        A prece: conforme O evangelho segundo o espiritismo de Allan Kardec / por Allan Kardec; tradução de Guillon Ribeiro; organizado por Evandro Noleto Bezerra. – 55. ed. – 5. imp. – Brasília: FEB, 2025.

        160 p.; 15 cm

        ISBN 978-65-5570-000-8

        1. Oração. 2. Orações. 3. Espiritismo. I. Ribeiro, Luís Olímpio Guillon, 1875–1943. II. Bezerra, Evandro Noleto, 1949–. III. Federação Espírita Brasileira. IV. Título.

                                         CDD 133.9
                                         CDU 133.7
                                         CDE 00.06.01

Sumário

Nota da Editora... 7

Nota da Editora em 1973 9

Instruções de Allan Kardec aos espíritas do Brasil...... 10
I Exortação ao estudo, à caridade e à unificação;
II Estudos sobre obsessões; Conclusão

Capítulo 1 – Buscai e achareis..................................... 46
Ajuda-te a ti mesmo, que o céu te ajudará;
Observai os pássaros do céu; Não vos
afadigueis pela posse do ouro

**Capítulo 2 – Dai gratuitamente o que
gratuitamente recebestes**... 55
Dom de curar; Preces pagas; Mercadores
expulsos do templo; Mediunidade gratuita

Capítulo 3 – Pedi e obtereis... 62
Qualidades da prece; Eficácia da prece; Ação
da prece. Transmissão do pensamento; Preces
inteligíveis; Da prece pelos mortos e pelos

Espíritos sofredores; Instruções dos Espíritos; Maneira de orar; Felicidade que a prece proporciona

Capítulo 4 – Coletânea de preces espíritas 83
Preâmbulo; Oração dominical; Reuniões espíritas; Para os médiuns; Aos anjos guardiães e aos Espíritos protetores; Para afastar os maus Espíritos; Para pedir a corrigenda de um defeito; Para pedir a força de resistir a uma tentação; Ação de graças pela vitória alcançada sobre uma tentação; Para pedir um conselho; Nas aflições da vida; Ação de graças por um favor obtido; Ato de submissão e de resignação; Num perigo iminente; Ação de graças por haver escapado a um perigo; À hora de dormir; Prevendo próxima a morte; Por alguém que esteja em aflição; Ação de graças por um benefício concedido a outrem; Pelos nossos inimigos e pelos que nos querem mal; Ação de graças pelo bem concedido aos nossos inimigos; Pelos inimigos do Espiritismo; Por uma criança que acaba de nascer; Por um agonizante; Por alguém que acaba de morrer; Pelas pessoas a quem tivemos afeição; Pelas almas sofredoras que pedem preces; Por um inimigo que morreu; Por um criminoso; Por um suicida; Pelos Espíritos penitentes; Pelos Espíritos endurecidos; Pelos doentes; Pelos obsidiados

Capítulo 5 – Prece de Cáritas 158

NOTA DA EDITORA

Na presente edição, a Federação Espírita Brasileira resgata as "Instruções de Allan Kardec aos espíritas do Brasil: Exortação ao estudo, à caridade e à unificação; Estudos sobre obsessões; Conclusão". Assim, o leitor terá acesso a mensagens permeadas de sensibilidade, sabedoria e orientação, em especial o leitor espírita, que perceberá nessas palavras uma carinhosa advertência, a de que devemos testemunhar e espelhar a Doutrina Espírita nos nossos pensamentos, na nossa fala, nos nossos gestos mais acanhados.

Esta edição, portanto, substitui as precedentes, conforme o plano exposto em seu sumário, transcrevendo os capítulos 25, 26, 27 e 28 de *O evangelho segundo o espiritismo* de Allan Kardec, traduzido por Guillon Ribeiro, editado pela Federação Espírita Brasileira, e mantém a "Prece de Cáritas", com sua nota esclarecedora, conforme as edições anteriores.

Sabemos que a forma da prece nada significa e que o pensamento é tudo. Os Espíritos, mesmo sem haverem prescrito uma fórmula absoluta de preces, vez por outra ditam algumas com vistas a "fixar as ideias e, sobretudo, para chamar a atenção sobre certos princípios da Doutrina Espírita. Fazem-no também com o fim de auxiliar os que sentem embaraço para externar suas ideias, pois alguns há que não acreditariam ter orado realmente, desde que não formulassem seus pensamentos",[1] daí a importância desta obra.

A Editora

---

[1] KARDEC, Allan. *O evangelho segundo o espiritismo*. 124. ed. Tradução de Guillon Ribeiro, capítulo XXVIII, Preâmbulo, item 1.

NOTA DA EDITORA EM 1973

As diversas mensagens do Espírito Allan Kardec, aqui reunidas, foram transmitidas através do médium Frederico Pereira da Silva Júnior, na Sociedade Espírita "Fraternidade", no Rio de Janeiro, em 1888 e 1889.

Foram elas enfeixadas num opúsculo para distribuição gratuita, pela Federação Espírita Brasileira, intitulado *Ditados de Allan Kardec*, do qual circularam pelo menos três edições, a 3ª em 1934. A primeira publicação das mensagens ocorreu em 1893.

Pela sua grande importância e permanente atualidade, a Casa-Máter do Espiritismo as incluiu, de há muito, neste volume.

Para os que desejam mais detalhes a respeito do trabalho pioneiro dos espiritistas brasileiros, recomendamos as obras, editadas pela FEB, *Brasil, coração do mundo, pátria do evangelho*, do Espírito Humberto de Campos (médium Francisco Cândido Xavier), e *Grandes espíritas do Brasil*, de Zêus Wantuil.

A Editora

INSTRUÇÕES DE ALLAN KARDEC AOS ESPÍRITAS DO BRASIL

I
Exortação ao estudo, à caridade e à unificação

Paz e amor convosco.

Que possamos ainda uma vez, unidos pelos laços da fraternidade, estudar essa Doutrina de paz e de amor, de justiça e de esperanças, graças à qual encontraremos a estreita porta da salvação futura — o gozo indefinido e imorredouro para as nossas almas humildes.

Antes de ferir os pontos que fazem o objetivo da minha manifestação, devo pedir a todos vós que me ouvis — a todos vós espíritas a quem falo neste momento — que me perdoeis se porventura, na externação dos meus pensamentos, encontrardes alguma coisa que vos magoe, algum espinho que vos vá ferir a sensibilidade do coração.

O cumprimento do dever nos impõe usemos de linguagem franca, rude mesmo. Por isso que cada um de nós tem uma responsabilidade individual e coletiva e, para salvá-la, lançamos mão de todos os meios que se nos oferecem, sem contarmos, muitas vezes, com a pobreza da nossa inteligência, que não nos permite dizer aquilo que sentimos sem magoar, não raro, corações amigos, para os quais só desejamos a paz, o amor e as doçuras da caridade.

Certo de que ouvireis a minha súplica; certo de que, falando aos espíritas, falo a uma agremiação de homens cheios de benevolência, encetei o meu pequeno trabalho, cujo único fim é desobrigar-me de graves compromissos que tomei para com o nosso Criador e Pai!

Sempre compassivo e bom, volvendo os piedosos olhos à Humanidade escrava dos erros e das paixões do mundo, Deus torna uma verdade as palavras do Cristo, e manda o Consolador — o Espírito de Verdade — para que abertamente fale da revelação messiânica a essa mesma Humanidade esquecida daquele que foi levado pelas ruas da amargura, sob o peso das iniquidades e das ingratidões dos homens!

Corridos os séculos, desenvolvido intelectualmente o espírito humano, Deus, na sua sabedoria, achou que era chegado o momento de convidar os homens à meditação do Evangelho — precioso livro de verdades divinas —, até então ensombrado pela letra, devido à deficiência da percepção humana para compreendê-lo em espírito.

Por toda parte se fez luz; revelou-se à Humanidade o Consolador Prometido, recebendo os povos — de acordo com o seu preparo moral e intelectual — missões importantes, tendentes a acelerar a marcha triunfante da Boa-Nova!

Todos foram chamados: a nenhum recesso da Terra deixou de apresentar-se o Consolador em nome desse Deus de misericórdia, que não quer a morte do pecador — nem o extermínio dos ingratos — e sim os deseja ver remidos dos desvarios da carne, da obcecação dos instintos.

Sendo assim, a esse pedaço de terra, a que chamais Brasil, foi dada também a Revelação da Revelação, firmando os vossos Espíritos, antes de encarnarem, compromissos de que ainda não vos desobrigastes. E perdoai que o diga: tendes mesmo retardado o cumprimento deles e de graves deveres, levados por sentimentos que não convém agora perscrutar.

Ismael, o vosso guia, tomando a responsabilidade de vos conduzir ao grande templo do amor e da fraternidade humana, levantou a sua bandeira, tendo inscrito nela — *Deus, Cristo e Caridade*. Forte pela dedicação, animado pela Misericórdia de Deus, que nunca falta aos trabalhadores, sua voz santa e evangélica ecoou em todos os corações, procurando atraí-los para um único agrupamento onde, unidos, teriam a força dos leões e a mansidão dos pombos; onde, unidos, pudessem afrontar todo o peso das iniquidades humanas; onde, enlaçados num único sentimento — o do amor — pudessem adorar o Pai em Espírito e Verdade; onde se levantasse a grande muralha da fé, contra a qual viessem quebrar-se todas as armas dos inimigos da Luz; onde, finalmente, se pudesse formar um grande dique à onda tempestuosa das paixões, dos crimes e dos vícios que avassalam a Humanidade inteira!

Constituiu-se esse agrupamento; a voz de Ismael foi sentida nos corações. Mas, à semelhança das sementes lançadas no pedregulho, elas não encontram terra boa para as suas raízes, e quando aquele anjo bom — aquele Enviado de Deus — julgava ter em seu seio amigos e irmãos capazes de ajudá-lo na sua grande tarefa, santa e boa, as sementes foram mirrando ao fogo das paixões, foram encravando-se na rocha, apesar de o orvalho da Misericórdia Divina as banhar constantemente para sua vivificação.

Ali, onde a humildade devera ter erguido tenda, o orgulho levantou o seu reduto; ali, onde o amor devia alçar-se, sublime e esplêndido, até junto do Cristo, a indiferença cavou sulcos, à justiça se chamou injustiça, à fraternidade — dissensão!

Mas, pela ingratidão de uns, haveria de sacrificar-se a gratidão e a boa vontade de outros?

Pelo orgulho dos que já se arvoraram em mestres na sua ignorância, havia de sacrificar-se a humildade do discípulo perfeitamente compenetrado dos seus deveres? Não!

Assim, quando os inimigos da Luz, quando o espírito das trevas julgava esfacelada a bandeira de Ismael, símbolo da trindade divina; quando a voz iníqua já reboava no Espaço, glorificando o reino das trevas e amaldiçoando o nome do Mártir do Calvário, ele[2] recolheu o seu estandarte e fez que se levantasse pequena tenda de combate com o nome — Fraternidade!

Era este, com certeza, o ponto para o qual deviam convergir todas as forças dispersas — todos os que não recebiam a semente do pedregulho.

Certos de que *acaso* é palavra sem sentido, e testemunhas dos fatos que determinaram o levantamento dessa tenda, todos os espíritas tinham o dever sagrado de vir aqui se agruparem, ouvir a palavra sagrada do bom guia Ismael — único que dirige a propaganda da Doutrina nesta parte do planeta e único que tem a responsabilidade da sua marcha e desenvolvimento.

Mas infelizmente, meus amigos, não pudestes compreender ainda a grande significação da palavra — *Fraternidade*!

Não é um termo, é um fato; não é uma palavra vazia, é um *sentimento*, sem o qual vos achareis sempre fracos para essa luta que vós mesmos não podeis medir, tal a sua extraordinária grandeza!

Ismael tem o seu Templo, e sobre ele a sua bandeira — *Deus, Cristo e Caridade*! Ismael tem a sua pequenina tenda, onde procura reunir todos os seus irmãos — todos aqueles que ouviram a sua palavra e a aceitaram por verdadeira: chama-se *Fraternidade*!

Pergunto-vos: Pertenceis à Fraternidade? Trabalhais para o levantamento desse Templo cujo lema é: *Deus, Cristo e Caridade*?

---

[2] N.E.: Refere-se a Ismael.

Como, e de que modo?

Meus amigos! É possível que eu seja injusto para convosco naquilo que vou dizer: o vosso trabalho, feito todo de acordo — não com a Doutrina — mas com o que interessa exclusivamente aos vossos sentimentos, não pode dar bom fruto. Esse trabalho, sem regime, sem disciplina, só pode, de acordo com a doutrina que esposastes, trazer espinhos que dilacerem vossas almas, dores pungentes aos vossos Espíritos, por isso que, desvirtuando os princípios em que ela assenta, dais entrada constante e funesta àquele que, encontrando-vos desunidos pelo egoísmo, pelo orgulho, pela vaidade, facilmente vos acabrunhará com todo o peso da sua iniquidade.

Entretanto, dar-se-ia o mesmo se estivésseis unidos? Porventura acreditais na eficiência de um grande exército dirigido por diversos generais, cada qual com o seu sistema, com o seu método de operar e com pontos de mira divergentes? Jamais! Nessas condições só encontrareis a derrota, porquanto — vede bem —, o que não podeis fazer com o Evangelho: unir-vos pelo amor do bem, fazem os vossos inimigos, unindo-se pelo amor do mal!

Eles não obedecem a diversas orientações, nem colimam objetivos diversos; tudo converge para a Doutrina Espírita — Revelação da Revelação —, que não lhes convém e que precisam destruir, para o que empregam toda a sua inteligência, todo o seu amor do mal, submetendo-se a uma única direção!

A luta cresce dia a dia, pois que a Vontade de Deus, iniciando as suas criaturas nos mistérios da vida de Além-Túmulo, cada vez mais se torna patente. Encontrando-se, porém, os vossos Espíritos em face da Doutrina, no estado precário que acabo de assinalar, pergunto: Com que elemento contam eles, os vossos Espíritos, na temerosa ação em que se vão empenhar, cheios de responsabilidade?

Em que canto da Terra já se ergue o grande tabernáculo onde ireis elevar os vossos pensamentos; em que canto da Terra construístes a grande muralha contra a qual se hão de quebrar as armas dos vossos adversários?

Será possível que, à semelhança das cinco virgens pouco zelosas, todo o cuidado da vossa paz tenhais perdido? Que conteis com as outras, que não dormem e que ansiosamente aguardam a vinda do seu Senhor?

Mas, se é assim, em que consiste o aproveitamento das lições que constantemente vos são dadas a fim de tornar uma verdade a vossa vigilância e uma santidade a vossa oração?

Se assim é, onde os frutos desse labor fecundo de todos os dias, dos vossos amigos de Além-Túmulo?

Acaso apodreceram roídos pela traça — tocados pelo bolor os vossos arquivos repletos de comunicações?

Onde, torno a perguntar, a segurança da vossa fé, a estabilidade da vossa crença, se, tendo uma única Doutrina para apoio forte e inabalável, a subdividis, a multiplicais ao capricho das vossas individualidades, sem contar com a coletividade que vos poderia dar a força, se constituísseis um elemento homogêneo, perfeitamente preparado pelos que se encarregam da revelação?

Mas onde a vantagem das subdivisões? Onde o interesse real para a Doutrina e seu desenvolvimento, na dispersão que fazeis do vosso grande todo, dando já, desse modo, um péssimo exemplo aos profanos, por isso que pregais a fraternidade e vos dividis cheios de dissensões?

Onde as vantagens de tal proceder? Estarão na diversidade dos nomes que dais aos grupos? Por que isso? Será porque este ou aquele haja recebido maior doação do patrimônio divino? Será porque convenha à propaganda que fazeis?

Mas, para a propaganda, precisamos dos elementos constitutivos dela. Pergunto: Onde a escola dos médiuns? Existe?

Porventura os homens que têm a boa vontade de estudar convosco os mistérios do Criador, preparando seus Espíritos para o ressurgir da outra vida, encontram em vós os instrumentos disciplinados — os médiuns perfeitamente compenetrados do importante papel que representam na família humana e cheios dessa seriedade, que dá uma ideia da grandeza da nossa Doutrina?

Ou a vossa propaganda se limita tão somente a falar do Espiritismo? Ou os vossos deveres e as vossas responsabilidades individuais e coletivas se limitam a dar a nota do ridículo àqueles que vos observam julgando-vos doidos e visionários?

Meus amigos! Sei quanto é doloroso tudo isto que vos digo, pois que cada um dos meus pensamentos é uma dor que atinge profundamente o meu Espírito. Sei que as vossas consciências sentem perfeitamente todo o peso das verdades que vos exponho. Mas eu vos disse ao começar: Temos responsabilidades e compromissos tomados, dos quais procuramos desobrigar-nos por todos os meios ao nosso alcance!

Se completa não está a minha missão na Terra; se mereço ainda do Senhor a graça de vir esclarecer a Doutrina que aí me foi revelada, dando-vos novos conhecimentos compatíveis com o desenvolvimento das vossas inteligências; se vejo que cada dia que passa da vossa existência — iluminada pela sublime luz da revelação, sem produzirdes um trabalho à altura da graça que vos foi concedida — é um motivo de escândalo para as vossas próprias consciências; devo usar desta linguagem rude de amigo, a fim de que possais, compenetrados verdadeiramente dos vossos deveres de cristãos e de espíritas, unir-vos num grande agrupamento fraterno, onde — avigorados pelo apoio mútuo e pela proteção dos bons — possais enfrentar o trabalho extraordinário que vos cumpre realizar para emancipação dos vossos Espíritos, trabalho que inegavelmente ocasionará grande revolução na Humanidade, não só quanto à parte da Ciência e da Religião, mas também na dos costumes!

Uma vez por todas vos digo, meus amigos: Os vossos trabalhos, os vossos labores não podem ficar no estreito limite da boa vontade e da propaganda, sem os meios elementares indicados pela mais simples razão.

Não vem absolutamente ao caso o reportar-vos às palavras de Jesus Cristo quando disse que — a luz não se fez para ser colocada debaixo do alqueire. Não vem ao caso e não tem aplicação, porque não possuís luz própria!

Fazei a luz pelo vosso esforço; iluminai todo o vosso ser com a doce claridade das virtudes; disciplinai-vos pelos bons costumes no Templo de Ismael, templo onde se adora a Deus, se venera o Cristo e se cultiva a Caridade. Então, sim, distribuí a luz, ela vos pertence!

E vos pertence, porque é um produto sagrado do vosso próprio esforço, uma brilhante conquista do vosso Espírito — empenhado nas lutas sublimes da Verdade.

Fora desses termos, podeis produzir trabalhos que causem embriaguez à vista, mas nunca que falem sinceramente ao coração. Podeis produzir emoções fortes, por isso que muitos são os que gostosamente se entregam ao culto do maravilhoso; nunca, porém, deixarão as impressões suaves da Verdade vibrando as cordas do Amor Divino no grande coração humano.

Fora dessa convenção ortodoxa, é possível que as plantas cresçam nos vossos grupos, mas é bem possível que também seus frutos sejam bastante amargos, bastante venenosos, determinando, ao contrário do que devia acontecer, a morte moral do vosso Espírito — a destruição, pela base, do vosso Templo de trabalho!

Se o Evangelho não se tornar realmente em vossos espíritos um broquel,[3] quem vos poderá socorrer, uma vez que a Revelação tende a absorver todas as consciências, emancipando o vosso século? Se o Evangelho nas vossas mãos apenas tem a serventia dos livros profanos, que deleitam a alma e encantam o pensamento, quem vos poderá socorrer no momento dessa revolução planetária que já se faz sentir, que dará o domínio da Terra aos bons, preparados para o seu desenvolvimento, que ocasionará a transmigração dos obcecados e endurecidos para o mundo que lhes for próprio?

Que será de vós — quem vos poderá socorrer — se, à lâmpada do vosso Espírito, faltar o elemento de luz com que possais ver a chegada inesperada do Cristo, testemunhando o valor dos bons e a fraqueza moral dos maus e dos ingratos?

Se fostes chamados às bodas do filho do vosso Rei, por que não tomam os vossos Espíritos as roupagens dignas do banquete, trocando conosco o brinde do amor e da caridade pelo consórcio do Cristo com o seu povo?

Se tudo está preparado, se só faltam os convivas, por que cedeis o vosso lugar aos coxos e estropiados que, últimos, virão a ser os primeiros na mesa farta da caridade divina?

---

[3] N.E.: Escudo; proteção; defesa.

Esses pontos do Evangelho de Jesus Cristo, apesar da Revelação, ainda não provocaram a vossa meditação?

Esse eco que reboa por toda a atmosfera do vosso planeta, dizendo — *Os tempos são chegados!* —, será um gracejo dos Enviados de Deus, com o fim de apavorar os vossos Espíritos?

Será possível nos preparemos para os tempos que chegam, vivendo cheios de dissensões e de lutas, como se não constituíssemos uma única família, tendo para regência dos nossos atos e dos nossos sentimentos uma única Doutrina?

Será possível nos preparemos para os tempos que chegam, dando a todo momento e a todos os instantes a nota do escândalo, apresentando-nos aos homens sob o aspecto de homens cheios de ambições, que não trepidam em lançar mão até das coisas divinas para o gozo da carne e satisfação das paixões do mundo?

Mas seria simplesmente uma obcecação do Espírito pretender desobrigar-se dos seus compromissos e penetrar, no Reino de Deus, coberto dessas paixões e dessas misérias humanas!

Isso equivaleria não acreditardes naquilo mesmo em que dizeis crer; seria zombar do vosso Criador que, não exigindo de vós sacrifício, vos pede, entretanto, não transformeis a sua casa de oração em covil de ladrões!

Meus amigos! Sem caridade não há salvação — sem fraternidade não pode haver união.

Uni-vos, pois, pela fraternidade, debaixo das vistas do bom Ismael, vosso guia e protetor. Salvai-vos pela Caridade, distribuindo o bem por toda a parte, indistintamente, sem pensamento oculto, àqueles que vos pedem lhes deis da vossa crença ao menos um testemunho moral, que os possa obrigar a respeitar em vós o indivíduo bem-intencionado e verdadeiramente cristão.

Sobre a propaganda que procurais fazer, exclusivamente para chamar ao vosso seio maior número de adeptos, direi — se os meios mais fáceis que tendes encontrado são a cura dos vossos irmãos obsessos, são as visitas domiciliárias e a expansão dos fluidos — aí tendes um modesto trabalho para vossa meditação e estudo.

E, lendo, compreendendo, chamai-me todas as vezes que for do vosso agrado ouvir a minha palavra e eu virei esclarecer os pontos que achardes duvidosos; virei, em novos termos, se preciso for, mostrar-vos que esse lado que vos parece fácil para a propaganda da Doutrina — é o maior escolho lançado no vosso caminho —, é a pedra colocada às rodas do vosso carro triunfante, será, finalmente, o motivo da vossa queda desastrosa, se não souberdes guiar-vos com o critério exigível de quantos se empenham numa tão grande causa.

Permita Deus que os espíritas a quem falo, que os homens a quem foi dada a graça de conhecer em espírito e verdade a Doutrina do Cristo, tenham a boa vontade de me compreender — a boa vontade de ver nas minhas palavras unicamente o interesse do amor que lhes consagro.

ALLAN KARDEC

II
Estudos sobre obsessões

Paz e Amor! Diante da grande responsabilidade que assumimos para com o nosso Criador, quando nos comprometemos a defender a Doutrina do seu amado Filho, selada com o seu próprio sangue no cimo do Calvário, para redimir as culpas dos homens; diante dos compromissos tomados pelo nosso próprio Espírito, certo então de triunfar da carne e suas paixões; de estabelecer na Terra o reino do amor e da fraternidade das criaturas; em face das lutas que crescem dia a dia, mais escabroso tornando o caminho da vossa existência em via de regeneração, elevo o meu pensamento ao Ser dos Seres, ao nosso Criador e Pai, e suplico, em nome da caridade divina, que se estendam as asas do seu amado Filho sobre a Terra, colocando-vos à sombra do seu Evangelho — garantia única da vossa crença, segura estabilidade da vossa fé!

Amigos! Ainda há pouco, atravessando com os olhos do Espírito o reinado das trevas, raciocinando sobre os fatos que atormentam a Humanidade constantemente, reconhecíeis a necessidade do perdão das ofensas, de pagar com benefícios os malefícios, de responder ao ódio com o amor, reconhecíeis a necessidade que o homem, revestido de um mandato tão santo sobre a Terra, tem da virtude e dos altos sentimentos que o nobilitem aos olhos do seu Criador para, desassombrado, empenhar-se na tremenda luta da Luz contra as trevas, em nome do Cristo — o Mestre, o Modelo, o Redentor.

Com efeito, louco seria aquele que, reconhecendo nos sofrimentos alheios a plena execução da justiça de um Deus clemente e misericordioso, tentasse apaziguá-los apenas com palavras — senão vazias de sentido — baldas completamente do sentimento cristão.

Louco seria quem, sem as armas que lhe dão as palavras de Jesus, se entregasse a essa luta inglória, agravando — quem sabe! — os sofrimentos e as dores daqueles por quem se dispõe a lutar.

Compreendeis que vos falo dos obsessos, desses infelizes irmãos que encontrais a todo momento e que despertam a vossa curiosidade ou os vossos sentimentos. Falo dessas vítimas de erros e faltas que escapam à vossa percepção e aos quais, olhando-os com olhos piedosos, procurais ministrar a palavra consoladora — o bálsamo santo da caridade divina.

Se fora possível, a todos os que estremecem diante desses quadros horrorosos, praticar o jejum de que falava Jesus aos seus apóstolos; se fora possível a cada um compreender o papel de verdadeiro sacerdote, de que se acha incumbido, quando procura repartir a hóstia sagrada, no altar de Jesus, com seus irmãos da Terra; se fora possível a elevação de vistas sobre estes fatos, em que a Justiça de Deus se manifesta e, quiçá, o próprio arrependimento daquele cujo sofrimento tanto comove, certamente a tristeza não invadiria a vossa alma, a desilusão não perturbaria a vossa crença, a dor não dominaria os impulsos da vossa fé!

Quereis os fins, procurai os meios. Os fins que visais são bons, empregai os bons meios — compreendendo sempre, constantemente, que Deus vela sobre todas as suas criaturas e que até os cabelos de cada uma estão contados.

Compreendei o que quer dizer — Misericórdia; compreendei o que quer dizer — Justiça!

Não entra nas questões altamente divinas que essas duas palavras encerram, isso a que chamais na Terra — boa vontade, assim mesmo desmentida, muitas vezes, pela direção que dais aos vossos atos e às vossas ações.

Compreendei a imutabilidade da Lei de Deus; ela pode ter a sua execução sustada, mas nunca revogada.

A execução é sustada quando não a boa vontade, mas o amor de suas criaturas, os eflúvios santos da caridade lhe sobem nas asas de uma prece e vão chorar junto do seu poder misericordioso. Então, ele apazigua os sofrimentos temporariamente, por isso que o princípio da justiça prevalece sempre, distribuindo a cada um segundo as suas obras.

Compete, pois, ao verdadeiro espírita, ao verdadeiro imitador de Jesus, munir-se dos meios santos e puros para chegar a fins tão divinos e tão sagrados. Fazer por merecer — eis a grande questão!

Deus é bom; procuremos, ao menos, não ser maus. Deus é a misericórdia; procuremos, na medida das nossas forças, repartir com os nossos semelhantes não os lodos da alma, que desbotam os sentimentos, mas o amor que bebemos no grande Jordão do Evangelho, lavando-nos de culpas e de erros do passado.

Humildes, caridosos, vereis claro o vosso rumo; podereis, como o disse Jesus, levantar os paralíticos, dar vista aos cegos, quais os Apóstolos que não limitavam o seu amor ao Mestre só à boa vontade, mas o estendiam à prática das boas ações.

Humildes e caridosos, não caireis nos barrancos com aqueles que conduzirdes pela mão. Humildes e caridosos, podereis trancar a casa varrida e ornada, derrotando as potestades malévolas que hoje vos intimidam, porque (infelizes que sois!), de posse do Evangelho, vos encontrais sem forças!

Sim! Invoquemos com amor a graça de Jesus, supliquemos com humildade a Misericórdia de Deus, para que, de posse do Evangelho, recebamos a sua força, possamos dar batalha a todos os sentimentos que não falem do seu nome, propagar pelo exemplo a sua palavra, único meio de chegarmos ao nosso desiderato sem agravar a responsabilidade, que porventura atualmente pese sobre cada um de nós, na distribuição da sua Doutrina.

Invoquemos o seu amor para que tenhamos força no coração e luz na inteligência, para que nos esclareça os ditames da consciência no terreno calmo e sereno onde o Espírito vai, segundo a sua palavra, fecundando as boas sementes pelo trabalho contínuo das ações, com a enxada das virtudes.

Procuremos por essa graça, que invocamos, dar o justo valor ao sentimento a que chamamos caridade — chave com que abrimos as portas do Céu —, isto é: chave com que alcançamos a paz da consciência, o templo do amor, o sacrário da justiça, o tabernáculo da fé!

Procuremos dar justo valor a esse sentimento, que talvez profanemos, consciente ou inconscientemente, e com a profanação do qual perturbamos a paz, a serenidade da justiça, que se cumpre, não pela vontade dos homens, mas pela Vontade de Deus, de acordo com a Lei que, emanada da Sua sabedoria e do Seu amor nunca desmentidos, distribui a cada um segundo as suas obras.

Perguntemos a nós mesmos, para que a nossa consciência responda, se a caridade, essa virtude divina, exclui porventura a prudência, a razão, quando sabemos previamente que tudo tem sempre uma razão de ser, que tudo se faz pela Vontade de Deus!

Perguntemos a nós mesmos, sempre que o sentimento da filantropia, que se aninha em nosso ser e que supomos ser o da caridade, nos permite momentos de meditação, sugerindo-nos considerações sociais e pessoais, modelando mesmo os corações nos estreitos moldes dos prejuízos do mundo, sempre que aquele sentimento não receba de nós e espontaneamente os impulsos da fé, os alentos da esperança e a certeza de que é caridade o que se quer realizar; perguntemos a nós mesmos se há em nosso íntimo sentimentos tão grandes e tão divinos que possam suplantar o amor de Deus às criaturas!

Perguntemos à nossa razão e à nossa inteligência se acima das nossas cabeças, onde fermentam, às vezes, ideias bastante pecaminosas, existe um véu tão denso e tão impenetrável que não possa ser atravessado pelos olhos de Deus, que tudo vê, tudo sente!

Meus amigos! Chamo bastante a vossa atenção para esta passagem da minha pálida comunicação, falando-vos da caridade em face das obsessões. Chamo a vossa atenção, porque quero deixar firmado um princípio relativo às vossas condições, a fim de vos poupar desgostos e, talvez, revoltas, quando, sem saberdes dar o verdadeiro peso às inconsequências dos vossos atos, às imprudências das vossas ações — permiti que vos fale assim —, pretendeis chegar a grandes fins, usando de limitados meios.

Não vos proíbo — e seria uma aberração do meu Espírito proibir-vos — tratar de obsessões. Notai bem! o que condeno, se condenar possa alguma coisa em nome da Doutrina, é que, a pretexto de caridade, caridade geralmente falada e poucas vezes sentida, vos exponhais a conflitos com o espírito das trevas, perturbeis a Justiça de Deus que se realiza nos vossos semelhantes e agraveis, por consequência, a responsabilidade do vosso Espírito, por isso que muitas vezes, nesses tentames, longe de distribuirdes os sazonados frutos do Evangelho, distribuís os agudos espinhos da dor e do martírio!

A caridade que exclui a razão, a prudência e o bom senso — a verdadeira caridade é instintiva!

Não argumentemos com ela. Essa caridade constitui a poderosa força da alma, que já não conhece restrições no infinito.

Não argumentemos com ela, que, sendo a verdadeira caridade, não discute conosco. Pela sua pureza, paira numa região que não podemos ainda tocar. Ela se orvalha da Misericórdia Divina, participa do bafejo do Criador, é grande, é imensa, não podemos medi-la.

Mas a caridade que obriga o Espírito a cogitar dos meios, a caridade que discute, que atende a considerações sociais e prejuízos, essa caridade — antes sentimento filantrópico — precisa ser analisada, precisa ser medida para servir de norma à nossa conduta sobre a Terra, na distribuição das palavras do Evangelho, na depuração dos vossos Espíritos, até que possais chegar ao fim, ao desejado porto, que é Jesus — nosso Mestre e nosso amigo.

É imprescindível o estudo do obsesso, em quem vamos operar o trabalho que nos reclama a filantropia do coração: estudo fisiológico e patológico, estudo das causas determinantes dos sofrimentos que nos comovem; estudo do meio em que vamos atuar; dos sentimentos religiosos daquele a quem pretendemos curar; das suas qualidades morais; dos seus princípios; da sua educação, do tempo, de tudo, finalmente, que possa concorrer para nossa orientação no trabalho que pretendemos fazer. Nesse estudo sério, seguro, é que podemos encontrar o fio de Ariadne[4] que nos guiará na obra de salvação do infeliz irmão, ovelha desgarrada, na frase do Evangelho — para a qual seremos o pastor, mas com os sentimentos do pastor.

A palavra só deve entrar na casa do obsesso como coisa secundária; o que lhe devemos levar são sentimentos, são qualidades morais que se imponham: a fé do verdadeiro Levita, a seriedade do verdadeiro Sacerdote!

E não há fugir desse pensamento, e não há fugir desse princípio, quando a razão nos diz que vamos colocar-nos entre a Justiça de Deus e um infeliz — que vamos colocar o nosso coração como antemural à Vontade do Eterno, que tudo vê, tudo sente.

Não há fugir dessa Doutrina, quando sabemos que de Deus são completamente desconhecidas

---

[4] N.E.: Princesa mítica cretense, filha de Minos e Pasifae. Quando Teseu foi a Creta para matar o Minotauro, Ariadne apaixonou-se por ele e deu-lhe um novelo de fio para que pudesse entrar no labirinto e encontrar, depois, o caminho de volta. A princesa fugiu de Creta com Teseu, mas este abandonou-a em uma ilha durante a viagem. Lá foi encontrada pelo deus Dionísio (deus romano Baco), que a tornou sua mulher.

as fórmulas da boa vontade e que nos seus domínios só pode penetrar o espírito da fé.

Curar! Quem não procura curar?

Suavizar os sofrimentos alheios, participar das dores dos seus semelhantes, beber no cálice das suas amarguras; quem não o procura fazer?

Todos quantos têm o sentimento cristão — todos os que não pulverizam os sentimentos do amor, inato no coração das criaturas e aí colocado pela mão de Deus!

Mas que todos se revejam no Mestre; que todos se lembrem de suas palavras quando, procurado pelos enfermos e obcecados, do corpo e do espírito, lhes dizia não convir que se curassem, porque não convinha, na linguagem do Espírito, fossem agravar suas responsabilidades, fazendo mau uso de uma graça recebida. Ainda mais: não convinha se curassem porque necessitavam das provações e das expiações para se elevarem aos pés de Deus, o que não conseguiriam com a saúde do corpo, mas sim com a saúde do Espírito.

Amigos! Deixo-vos, para repouso do aparelho que me serve, e não continuarei enquanto não me honrardes, solicitando o meu concurso para o vosso estudo. Rogo-vos, como verdadeiro amigo, me interrogueis sobre os pontos que porventura não puderdes aceitar, para que eu, com os elementos de que disponha no vosso médium, me faça melhor compreender, ou seja por vós esclarecido.

* * *

Sinto-me bem no meio de amigos que procuram comigo investigar a verdade necessária ao progresso da Humanidade, e isso sem os preconceitos e os prejuízos que desvirtuam um estudo que deve ser feito com humildade e verdadeiro interesse.

Da comunicação apresentada ao vosso estudo crítico, procuremos tirar as necessárias premissas e suas consequências imediatas.

Deixando de parte a forma, que nada interessa à questão de que tratamos, vejamos o que podemos encontrar no fundo, que aproveite aos nossos Espíritos ávidos de luz e de novos conhecimentos.

Primeira questão: Deve o espírita tentar a cura de obsessões, quando sabe previamente que tudo tem a sua razão de ser — que tudo é feito pela Vontade de Deus — e que até os cabelos da cabeça de cada um estão contados?

Responderei, como regra absoluta: Sim!

Segunda questão: Pode o espírita, cônscio da sua fraqueza, da deficiência da sua força moral, ir ao encontro dos obsessos, procurando salvá-los da perseguição, da dor e do sofrimento que os comovem?

Ainda respondo: Sim! — também como regra absoluta.

Terceira questão: Mas deve o espírita, levado tão somente pelo conhecimento que tem da Doutrina e pela esperança da graça que há de receber, tentar a cura, desprezando os meios aconselhados?

— *Não*!

E isso, meus amigos, pela simples razão de não ser admissível colocar-se à cabeceira de um enfermo um médico que ignore completamente a Medicina!

De igual modo que o médico, que trata do corpo, não cura apenas com a sua boa vontade, mas procura os meios terapêuticos para combater a enfermidade denunciada pelo estado patológico do enfermo, assim o espírita, médico que deve ser da alma, tem que procurar os meios adequados à higiene da alma para curá-la, debelando as causas determinantes do mal que o entristece e lhe desperta a vontade de praticar o bem.

Admitir que do simples encontro de um espírita com um obsesso pudesse resultar o afastamento do algoz e a garantia da vítima, fora admitir um capricho da Divindade, suscetível de ser desfeito ao primeiro gesto humano.

Mas se Deus é justo, se Deus é misericordioso e se ninguém o pode exceder em sentimento de caridade, compreendereis a impossibilidade de qualquer tentativa nesse sentido; compreendereis, ainda mais, a responsabilidade que advém, para o vosso Espírito, da profanação das coisas santas, sujeitas à Justiça de Deus!

Falando do sentimento que muitas vezes vos faz estremecer a alma e que supondes ser o da caridade, por isso que não podeis ainda compreender a grandeza e a santidade deste sentimento, deixei perceber a todos vós que melhor seria lhe chamássemos sentimento filantrópico, sentimento este que, não sendo a caridade, mas o seu princípio a desabrochar no vosso Espírito, não vos inibe, contudo, de tratar dos vossos irmãos vítimas de obsessões, desde que, com prudência, com critério e com a razão, saibais dar direção aos vossos atos de filantropia, exercitando assim o vosso Espírito na prática do bem, proporcionando-lhe dia a dia novas forças e novas luzes para o seu alevantamento moral, e para o progresso da Doutrina.

Quando o espírita tem fé, mas fé sentida; quando o espírita tem amor, mas amor esclarecido; quando o espírita tem caridade, mas a caridade provada, vai, sem cogitações estranhas, ao encontro dos que sofrem e, a exemplo do Mestre e dos Apóstolos, expele os demônios, dá vista aos cegos e faz andar os paralíticos.

Quando, porém, o espírita apenas por tradição conhece esses sentimentos; quando é o primeiro a ter consciência da fraqueza de sua alma para se fazer de antemural entre a Justiça de Deus e o sofrimento do seu semelhante; quando, apesar de tudo isso, aspira — o que é muito natural —, deseja — o que é nobre — chegar à condição daquele que possui os grandes sentimentos da alma, o espírita não pode deixar de ser prudente, criterioso e sensato, procurando os meios de suprir os sentimentos que lhe faltem na alma, a fim de desempenhar o seu dever de cristão e de espírita.

É neste ponto que intervém o estudo fisiológico e patológico das causas determinantes do sofrimento, o estudo do meio onde se vai agir, do tempo, de tudo, finalmente, que respeita ao trabalho que se tem de fazer.

O espírita, diante do obsesso, está diante do desconhecido, e, de igual modo que nenhum homem se aventura a explorar certa zona desconhecida, sem fazer o necessário reconhecimento para caminhar com desassombro e abrir a sua estrada, assim também esse estudo patológico das causas determinantes do sofrimento constitui o reconhecimento necessário ao trabalho que se vai tentar, por isso que nele se encontram os elementos substitutivos da fé que opera a remoção das montanhas — do amor que faz a unificação das almas — da caridade que se distende por todo o infinito!

Princípio invariável: Em todos os casos de obsessão há sempre um estado mórbido a combater — estado mórbido esse que é causa ou efeito.

Sendo assim, o estudo fisiológico é imprescindível, meus amigos, os meios terapêuticos são mais que necessários, por isso que se trata de entrar num jogo — se assim me posso exprimir — de desequilíbrio de órgãos desmantelados pela absorção de fluidos que têm alterado a economia peculiar a cada ser.

Restabelecer os órgãos, trazê-los às funções normais, é um trabalho tanto mais necessário quanto sabemos que, às vezes, a sua desorganização é que permite o estabelecimento do laço entre o obsessor e o obsesso. Isso quanto à parte fisiológica.

Quanto à parte moral, porque o vosso fito seja restabelecer o *obsidiado*, não podeis, contudo, abandonar o obsessor que tendes diante de vós e que, por mau, nem por isso deixa de ser vosso irmão e de estar debaixo da Misericórdia de Deus. Por convir sejam concomitantes as curas de ambos, é que se torna impossível, simplesmente pela boa vontade, obter a graça que muitas vezes ides invocar da misericórdia e do amor do Altíssimo.

Sem dúvida, Deus, na sua sabedoria e vontade, pode, num dado momento, afugentar todas as legiões de maus Espíritos. Mas, se Deus não quer a morte do pecador e sim que ele se salve, Deus não permite que, pela simples evocação do seu nome, se restabeleça um que precisa sofrer e expiar faltas cometidas, e se lancem às trevas, ao desespero, outros, que também são filhos e que se não o amam é porque o não conhecem!

Assim, pois, o bem deve ser feito indistintamente, seja qual for o terreno em que houvermos de o praticar. Mas, nem o próprio bem pode excluir a nossa razão, quando, tratando-se da Justiça de Deus, pretendemos contrariá-la.

O Pai ama seus filhos e abre seu amoroso seio a recebê-los, quando os filhos sabem ir a Ele. Deus apazigua os males da Humanidade; Deus retira a espada da sua justiça de sobre a cabeça dos seus filhos; porém, somente quando da alma destes mesmos filhos brota, santificado, o doce eflúvio da caridade divina, cujos germes foram ali depositados para se desenvolverem e voltarem ao seu seio.

Se tendes fé, se tendes amor, se tendes caridade, cerrai os olhos, marchai mesmo para o desconhecido e produzireis assombros!

Se tendes paixões, se tendes vícios, se tendes crimes, sede prudentes. Marchai tímidos, reconhecei o terreno em que pisais, cercai-vos dos meios necessários ao vosso empreendimento e curai obsidiados e obsessores pela graça do Senhor, que reconhece a vossa humildade e o vosso firme desejo de praticar o bem, apesar de serdes pequeninos.

Meus amigos! não quero fatigar a quem me serve tão passivamente. Que Deus em seu infinito amor permita, por intermédio dos vossos guias, possais ter bem claro o vosso entendimento para compreenderdes — não os conselhos do mestre, e sim as provas de amizade que vos dá o vosso amigo e irmão.

* * *

Bendito seja o Senhor, que permite a um pobre Espírito, desejoso de luz e de progresso, vir junto de seus irmãos da Terra expender pálidos pensamentos doutrinários com o fim justo — não de ensinar —, mas de permutar com eles os sentimentos que lhe vão na alma, estabelecendo desta sorte o laço da amizade espiritual — prenúncio indubitável do amor a que tendemos.

Voltando às comunicações apresentadas ao vosso exame, procuremos ainda tirar as consequências das premissas formuladas, completando o nosso estudo relativamente à cura das obsessões.

Ficou estabelecido que aquele que tem a fé, conforme a queria Jesus, isto é, a do grão de mostarda, não precisa de fórmulas e cuidados prescritos pela patogenesia para a reabilitação dos enfermos da alma e do corpo.

Ficou também estabelecido que aquele que se reconhece fraco espiritualmente; aquele em que se podem apontar erros e culpas, não se deve levar simplesmente pela boa vontade, esperando da graça do Senhor aquilo que só pode conquistar pelo esforço próprio, no trabalho consecutivo e cotidiano do aperfeiçoamento das suas funções espirituais, por isso que — disse eu —, a admitir-se hipótese contrária, teríamos, não um Deus justo e bom, mas um Deus caprichoso e suscetível dos erros e crimes das suas próprias criaturas.

Ficou também estabelecido que é uma necessidade o exame patológico do enfermo, por isso que há sempre um estado mórbido a combater — estado mórbido que pode ser a causa da obsessão, mas que também pode ser efeito desta.

São duas coisas distintas, meus amigos, cada qual requerendo tratamento especial, porquanto no primeiro caso a vossa ação se deve exercer toda sobre o obsidiado, ao passo que no segundo deve ser toda exercida sobre o obsessor.

O estudo patológico tanto mais necessário e conveniente se torna aos nossos olhos, quanto precisamos conduzir-nos com todo o critério na vida de relação, com todo o bom senso na vida social — vida de relação, vida social onde as moléstias, mal ou bem, estão classificadas e conhecidas —, onde seria um desar para a Doutrina confundir a encefalite, a esplenite, a mielite, o histerismo e a epilepsia com a presença de Espíritos obsessores, aos quais pretendeis levar a luz, o conselho salutar, o restabelecimento, finalmente.

Bem compreendeis que, na hipótese de uma dessas moléstias, é natural haja sempre influências estranhas, que se aproveitam do estado mórbido, mas não é isso o que realmente se pode chamar obsessão.

Em tal caso, feito o tratamento com os agentes terapêuticos, tem-se o restabelecimento dos órgãos, a volta da saúde: cessando a causa, cessam os efeitos.

Entretanto, quando os órgãos são levados ao desequilíbrio pela absorção de fluidos, pela presença constante do Espírito que obsidia, o tratamento deve convergir todo para a causa estranha que se apresenta determinando as desorganizações mentais, a perda da vontade, o aniquilamento do livre-arbítrio.

É nesse ponto que quase sempre vos encontrais fracos; é nesse trabalho mecânico — por isso que é um trabalho todo de fluidos — que vos encontrais em sérios embaraços, sofrendo, quem sabe, muitas vezes desfalecimentos que vos levariam à descrença, ao abandono da Doutrina de Jesus, se os vossos guias não vos viessem tocar a consciência, mostrando a improcedência dos vossos raciocínios, que vos impelem a vos julgardes alucinadamente superiores a Deus.

Assim como para combater uma causa física se antepõe uma força física, assim também para combater uma causa moral é preciso antepor-lhe a força moral.

Sendo certo que o Espírito obsidiado tem o seu perispírito impregnado, saturado de fluidos maus e perniciosos, deveis, pela potência da vontade; produzir o trabalho que nada tem de material ou mecânico e que consiste em lhe antepor fluidos puros e salutares; e essa pureza, essa salubridade dos fluidos só pode vir da superioridade moral do vosso eu — superioridade moral que vos dá autoridade —, a que nenhum Espírito pode resistir, pois que não há em absoluto a homogeneidade que permitiria o exercício de força contrária à Lei, e vós estareis dentro da Lei!

Eis por que eu disse que convinha toda a prudência ao vos conduzirdes nesses trabalhos espinhosos, porque o homem, que não tem consigo elementos de salvação, não se atira sobre as ondas do oceano revolto que o pode sorver, que o pode tragar no seu seio tempestuoso.

A boa vontade pode ser um meio, mas não é tudo.

O homem que quer destruir a montanha não cruza os braços, limitando-se a dizer a Deus, ou à Natureza, que tem vontade de que a montanha seja destruída: vai buscar a ferramenta, trabalha até a mortificação do corpo, cava a rocha e faz a destruição.

Tendes boa vontade de curar, é justo, eu já o disse. Mas a obsessão é uma montanha extraordinária de paixões e sentimentos desordenados, para a sua destruição precisais das ferramentas do amor, das ferramentas da humildade e da verdadeira abnegação.

Se o vosso Espírito comporta todos esses sentimentos grandes; se a vossa alma pode absorver toda a Doutrina emanada do Evangelho de Jesus; por que não o dilatar de todo?

Por que não amar — por que não ser humilde, desde que sabeis que só o amor e a humildade darão capacidade moral para produzir os assombros obtidos pelos Santos Apóstolos quando, em nome do Divino Mestre, iam de cidade em cidade, de aldeia em aldeia, pregando a sua Doutrina — limpando os corpos e purificando as almas?

Irmãos! Não vos iludam os caprichos da carne; não vos iludam esses fogos-fátuos das grandezas humanas, que não podem aclarar a ínvia estrada da vossa existência sobre a Terra, nem vos apontar os marcos do gozo que não morre!

Em cada um de vós vejo, é certo, um pecador; mas, antes, vejo em cada um de vós uma vontade; e se essa vontade souber exercitar-se, se souber fazer uso do poder, os arruinados castelos de dificuldades serão destruídos para todo o sempre e sobre os seus destroços se levantarão os vossos Espíritos, pecadores de hoje, puros e glorificados por um Deus que é justo!

Dar pouco já é dar alguma coisa. Se reconheceis no vosso Espírito a fraqueza para os grandes cometimentos da alma, orai, pedi forças a Jesus, e nem de longe acrediteis que vos seja negada a gota de água para os lábios ressequidos — um raio de luz da Misericórdia Divina ao vosso coração que se humilha, ao vosso Espírito que se abate para se levantar!

Quando assim fizerdes, quando compreenderdes que ser espírita não é ser homem, mas cristão; quando souberdes dar todo o valor a essa graça que vos é concedida pelo esposamento completo da Doutrina que se vos prega; quando, finalmente, vos convencerdes de que éreis náufragos nesse mundo, e que Deus bondosamente fez chegar às vossas mãos a tábua do Evangelho; então poderei ir à casa do doente obsidiado e, dizendo simplesmente — "A paz de Jesus esteja nesta casa" — o doente terá a paz, terá a saúde no corpo e na alma, por Jesus Cristo, em nome do qual tereis ido praticar o bem, cumprindo a sua Lei!

Meus Irmãos! Meus dedicados Amigos! Não quero fatigar o vosso companheiro.

O que vos tenho dito basta para compreenderdes o modo por que deveis proceder quando vos achardes em presença de um obsidiado.

Que Deus aclare o vosso entendimento, que Jesus, por intermédio dos bons guias, vos dê todas as intuições do bem para a vossa felicidade nesse mundo e no mundo onde vos espero.

Que assim seja!

ALLAN KARDEC

Conclusão

Publicando as instruções dadas por Allan Kardec, a Sociedade Espírita "Fraternidade" não só satisfaz à vontade daquele missionário, como também cumpre um dever imposto à sua consciência e manifesto nas opiniões dos seus associados.

Não pode, porém, calar a necessidade que há de fazer-se alguma coisa de sério e positivo a respeito do que tem sido aventado e proposto por muitos, em diversas épocas, relativamente a uma união geral e verdadeira, debaixo de uma única direção, que determine o método, a disciplina e o movimento de todos os grupos, estabelecendo a escola e a força que nos faltam.

Não será chegado o tempo de algo produzirmos? Não basta de ridículo e de falsas apreciações sobre a Doutrina e seus adeptos? Não estaremos ainda cansados de esterilidade?

Não temos a pretensão de que só conosco esteja a verdade e de que sejamos os únicos no bom caminho, nem julgamos e muito menos condenamos a quem quer que seja. Mas, mantendo a "Fraternidade" sempre perseverante e de pé, apesar de todas as lutas e adversidades, apesar da deserção da maior parte dos seus irmãos e filhos, que aqui foram criados, que aqui receberam a luz e aqui desenvolveram suas faculdades, aceitando as comunicações do Mestre, sem ideias preconcebidas; estamos certos de que o guia Ismael empunha o seu estandarte no seio desta Sociedade — tenda levantada por ele mesmo — e para ela chama todos os de boa vontade e sinceros nas suas convicções, que queiram concorrer para a formação do grande agrupamento donde parta a orientação e se irradie a luz da verdade.

Se o trabalho em comum e com grande número é uma dificuldade, muito maior é, com efeito, a desunião, a adoção de métodos e direções diferentes, sem prudência, disciplina e fiscalização daqueles que, mais práticos, mais entendidos, podem ser os transmissores da vontade e direção do guia.

Se a fascinação e a imprevidência têm levado alguns a constituir grupos onde, debaixo de um mal-entendido princípio de publicidade, se prestam ao motejo e zombaria dos que os frequentam e não encontram ao menos a seriedade e o bom senso; se a pretensão e o orgulho de outros temerários os têm levado a provocar trabalhos que intitulam de Espiritismo e que só hão servido para o estrago dos médiuns, obcecação dos seus Espíritos e representação de uma farsa aplaudida tão somente pelos zombeteiros do Espaço, acarretando o ridículo para a Doutrina e a pecha, que todos temos, de doidos e visionários; se os mais santos trabalhos, tais os das curas físicas e morais, só têm servido para despertar a inveja, a especulação, o interesse sórdido e a curiosidade dos falsos crentes, que profanam e nodoam uma fonte de propaganda e de provas; é dever de todos os sinceros — dos que compreendem e sentem a responsabilidade individual e coletiva que lhes toca — vir em socorro dos que se desviam e comprometem, estabelecendo essa união, esse agrupamento homogêneo e solidário, invariável no seu método e no seu objetivo, onde, com a força e a luz que lhes advirão do Alto, poderão arrebanhar as ovelhas transviadas, orientar os cegos e, em nome da Doutrina, protestar contra os que, falsos profetas, a desvirtuam e profanam, tornando-se instrumentos dos filhos das trevas e não a personificação da Verdade.

SOCIEDADE ESPÍRITA "FRATERNIDADE"[5]

---

[5] N.E.: A trajetória da Federação Espírita Brasileira tem sido dedicada a servir e difundir a Doutrina codificada por Allan Kardec.

Em 1873, foi fundado o Grupo Confúcio, do qual participaram, dentre outros, Dr. Siqueira Dias, Dr. Joaquim Carlos Travassos, Dr. Bittencourt Sampaio, Dr. Antonio da Silva Neto, Prof. Casimir Lietaud — a quem se deve a primeira revelação de ser o Anjo Ismael o guia espiritual do Brasil.

Ao Grupo Confúcio seguiu-se o Grupo Espírita Deus, Cristo e Caridade, fundado em 1876; suas atividades foram interrompidas em 1879, quando passou a ser chamado de Sociedade Acadêmica Deus, Cristo e Caridade.

Tendo à frente Bittencourt Sampaio, Sayão e Frederico Júnior, foi fundada, em 1880, a Sociedade Espírita Fraternidade, orientada espiritualmente pelo Espírito Urias, personalidade citada no Velho Testamento, símbolo de bravura, lealdade e retidão espirituais.

Após um período de divergências, e com o objetivo de realizar melhor divulgação do Espiritismo na pátria do Evangelho, foi fundado o Grupo Ismael.

O Grupo Ismael (Grupo de Estudos Evangélicos do Anjo Ismael) foi fundado em 1880, por Antônio Luís Sayão e Bittencourt Sampaio. Em 1895, o Grupo Ismael integrou-se à Federação Espírita Brasileira, que fora fundada em 1884, por Augusto Elias da Silva.

CAPÍTULO I
Buscai e achareis

Ajuda-te a ti mesmo, que o céu te ajudará

1. Pedi e se vos dará; buscai e achareis; batei à porta e se vos abrirá; porquanto, quem pede recebe e quem procura acha e, àquele que bata à porta, abrir-se-á.

Qual o homem, dentre vós, que dá uma pedra ao filho que lhe pede pão? Ou, se pedir um peixe, dar-lhe-á uma serpente? Ora, se, sendo maus como sois, sabeis dar boas coisas aos vossos filhos, não é lógico que, com mais forte razão, vosso Pai que está nos céus dê os bens verdadeiros aos que lhos pedirem? (*Mateus*, 7:7 a 11).

2. Do ponto de vista terreno, a máxima: Buscai e achareis é análoga a esta outra: *Ajuda-te a ti mesmo, que o Céu te ajudará*. É o princípio da *Lei do Trabalho* e, por conseguinte, da *Lei do Progresso*, porquanto o progresso é filho do trabalho, visto que este põe em ação as forças da inteligência.

Na infância da Humanidade, o homem só aplica a inteligência à cata do alimento, dos meios de se preservar das intempéries e de se defender dos seus inimigos. Deus, porém, lhe deu, a mais do que outorgou ao animal, o *desejo incessante do melhor*, e é esse desejo que o impele à pesquisa dos meios de melhorar a sua posição, que o leva às descobertas, às invenções, ao aperfeiçoamento da Ciência, porquanto é a Ciência que lhe proporciona o que lhe falta. Pelas suas pesquisas, a inteligência se lhe engrandece, o moral se lhe depura. Às necessidades do corpo sucedem as do Espírito: depois do alimento material, precisa ele do alimento espiritual. É assim que o homem passa da selvageria à civilização.

Mas, bem pouca coisa é, imperceptível mesmo, em grande número deles, o progresso que cada um realiza individualmente no curso da vida. Como poderia então progredir a Humanidade, sem a preexistência e a reexistência da alma? Se as almas se fossem todos os dias, para não mais voltarem, a Humanidade se renovaria incessantemente com os elementos primitivos, tendo de fazer tudo, de aprender tudo. Não haveria, nesse caso, razão para que o homem se achasse hoje mais adiantado do que nas primeiras idades do mundo, uma vez que a cada nascimento todo o trabalho intelectual teria de recomeçar. Ao contrário, voltando com o progresso que já realizou e adquirindo de cada vez alguma coisa a mais, a alma passa gradualmente da barbárie à *civilização material* e desta à *civilização moral*.

3. Se Deus houvesse isentado do trabalho do corpo o homem, seus membros se teriam atrofiado;

se o houvesse isentado do trabalho da inteligência, seu Espírito teria permanecido na infância, no estado de instinto animal. Por isso é que lhe fez do trabalho uma necessidade e lhe disse: *Procura e acharás; trabalha e produzirás*. Dessa maneira serás filho das tuas obras, terás delas o mérito e serás recompensado de acordo com o que hajas feito.

4. Em virtude desse princípio é que os Espíritos não acorrem a poupar o homem ao trabalho das pesquisas, trazendo-lhe, já feitas e prontas a ser utilizadas, descobertas e invenções, de modo a não ter ele mais do que tomar o que lhe ponham nas mãos, sem o incômodo, sequer, de abaixar-se para apanhar, nem mesmo o de pensar. Se assim fosse, o mais preguiçoso poderia enriquecer-se e o mais ignorante tornar-se sábio à custa de nada e ambos se atribuírem o mérito do que não fizeram. Não, *os Espíritos não vêm isentar o homem da Lei do Trabalho: vêm unicamente mostrar-lhe a meta que lhe cumpre atingir e o caminho que a ela conduz, dizendo-lhe: Anda e chegarás.* Toparás com pedras; olha e afasta-as tu mesmo. Nós te daremos a força necessária, se a quiseres empregar.

5. Do ponto de vista moral, essas palavras de Jesus significam: Pedi a luz que vos clareie o caminho e ela vos será dada; pedi forças para resistirdes ao mal e as tereis; pedi a assistência dos bons Espíritos e eles virão acompanhar-vos e, como o anjo de Tobias, vos guiarão; pedi bons conselhos e eles não vos serão jamais recusados; batei à nossa porta e ela se vos abrirá;

mas pedi sinceramente, com fé, confiança e fervor; apresentai-vos com humildade e não com arrogância, sem o que sereis abandonados às vossas próprias forças e as quedas que derdes serão o castigo do vosso orgulho.

Tal o sentido das palavras: buscai e achareis; batei e abrir-se-vos-á.

Observai os pássaros do céu

6. Não acumuleis tesouros na Terra, onde a ferrugem e os vermes os comem e onde os ladrões os desenterram e roubam; acumulai tesouros no Céu, onde nem a ferrugem, nem os vermes os comem; porquanto, onde está o vosso tesouro aí está também o vosso coração.

Eis por que vos digo: "Não vos inquieteis por saber onde achareis o que comer para sustento da vossa vida, nem de onde tirareis vestes para cobrir o vosso corpo. Não é a vida mais do que o alimento e o corpo mais do que as vestes?"

Observai os pássaros do Céu: não semeiam, não ceifam, nada guardam em celeiros; mas vosso Pai celestial os alimenta. Não sois muito mais do que eles? E qual, dentre vós, o que pode, com todos os seus esforços, aumentar de um côvado a sua estatura?

Por que, também, vos inquietais pelo vestuário? Observai como crescem os lírios dos campos: não trabalham, nem fiam; entretanto, eu vos declaro que nem Salomão, em toda a sua glória, jamais se vestiu

Capítulo I

como um deles. Ora, se Deus tem o cuidado de vestir dessa maneira a erva dos campos, que existe hoje e amanhã será lançada na fornalha, quanto maior cuidado não terá em vos vestir, ó homens de pouca fé!

Não vos inquieteis, pois, dizendo: Que comeremos? Ou que beberemos? Ou de que nos vestiremos? como fazem os pagãos, que andam à procura de todas essas coisas; porque vosso Pai sabe que tendes necessidade delas.

Buscai primeiramente o Reino de Deus e a sua justiça, que todas essas coisas vos serão dadas de acréscimo. Assim, pois, não vos ponhais inquietos pelo dia de amanhã, porquanto o amanhã cuidará de si. A cada dia basta o seu mal (*Mateus*, 6:19 a 21 e 25 a 34).

7. Interpretadas à letra, essas palavras seriam a negação de toda previdência, de todo trabalho e, conseguintemente, de todo progresso. Com semelhante princípio, o homem limitar-se-ia a esperar passivamente. Suas forças físicas e intelectuais conservar-se-iam inativas. Se tal fora a sua condição normal na Terra, jamais houvera ele saído do estado primitivo e, se dessa condição fizesse ele a sua lei para a atualidade, só lhe caberia viver sem fazer coisa alguma. Não pode ter sido esse o pensamento de Jesus, pois estaria em contradição com o que disse de outras vezes, com as próprias Leis da Natureza. Deus criou o homem sem vestes e sem abrigo, mas deu-lhe a inteligência para fabricá-los.

Não se deve, portanto, ver, nessas palavras, mais do que uma poética alegoria da Providência, que nunca deixa ao abandono os que nela confiam, querendo, todavia, que esses, por seu lado, trabalhem. Se ela nem sempre acode com um auxílio material, inspira as ideias com que se encontram os meios de sair da dificuldade.

Deus conhece as nossas necessidades e a elas provê, como for necessário. O homem, porém, insaciável nos seus desejos, nem sempre sabe contentar-se com o que tem: o necessário não lhe basta; reclama o supérfluo. A Providência, então, o deixa entregue a si mesmo. Frequentemente, ele se torna infeliz por culpa sua e por haver desatendido à voz que por intermédio da consciência o advertia. Nesses casos, Deus fá-lo sofrer as consequências, a fim de que lhe sirvam de lição para o futuro.

8. A Terra produzirá o suficiente para alimentar a todos os seus habitantes, quando os homens souberem administrar, segundo as Leis de Justiça, de Caridade e de Amor ao próximo, os bens que ela dá. Quando a fraternidade reinar entre os povos, como entre as províncias de um mesmo império, o momentâneo supérfluo de um suprirá a momentânea insuficiência do outro; e cada um terá o necessário. O rico, então, considerar-se-á como um que possui grande quantidade de sementes; se as espalhar, elas produzirão pelo cêntuplo para si e para os outros; se, entretanto, comer sozinho as sementes, se as

desperdiçar e deixar se perca o excedente do que haja comido, nada produzirão, e não haverá o bastante para todos. Se as amontoar no seu celeiro, os vermes as devorarão. Daí o haver Jesus dito: "Não acumuleis tesouros na Terra, pois que são perecíveis; acumulai--os no Céu, onde são eternos". Em outros termos: não ligueis aos bens materiais mais importância do que aos espirituais e sabei sacrificar os primeiros aos segundos.

A caridade e a fraternidade não se decretam em leis. Se uma e outra não estiverem no coração, o egoísmo aí sempre imperará. Cabe ao Espiritismo fazê-las penetrar nele.

Não vos afadigueis pela posse do ouro

9. Não vos afadigueis por possuir ouro, ou prata, ou qualquer outra moeda em vossos bolsos. Não prepareis saco para a viagem, nem dois fatos, nem calçados, nem cajados, porquanto aquele que trabalha merece sustentado.

10. Ao entrardes em qualquer cidade ou aldeia, procurai saber quem é digno de vos hospedar e ficai na sua casa até que partais de novo. Entrando na casa, saudai-a assim: "Que a paz seja nesta casa." Se a casa for digna disso, a vossa paz virá sobre ela; se não o for, a vossa paz voltará para vós.

Quando alguém não vos queira receber, nem escutar, sacudi, ao sairdes dessa casa ou cidade, a poeira dos vossos pés. Digo-vos, em verdade: "No dia do juízo, Sodoma e Gomorra serão tratadas menos rigorosamente do que essa cidade." (*Mateus*, 10:9 a 15).

11. Naquela época, nada tinham de estranhável essas palavras que Jesus dirigiu a seus apóstolos, quando os mandou, pela primeira vez, anunciar a Boa-Nova. Estavam de acordo com os costumes patriarcais do Oriente, onde o viajor encontrava sempre acolhida na tenda. Mas, então, os viajantes eram raros. Entre os povos modernos, o desenvolvimento da circulação houve de criar costumes novos. Os dos tempos antigos somente se conservam em países longínquos, onde ainda não penetrou o grande movimento. Se Jesus voltasse hoje, já não poderia dizer a seus apóstolos: "Ponde-vos a caminho sem provisões".

A par do sentido próprio, essas palavras guardam um sentido moral muito profundo. Proferindo-as, ensinava Jesus a seus discípulos que confiassem na Providência. Ademais, eles, nada tendo, não despertariam a cobiça nos que os recebessem. Era um meio de distinguirem dos egoístas os caridosos. Por isso foi que lhes disse: "Procurai saber quem é digno de vos hospedar" ou quem é bastante humano para agasalhar o viajante que não tem com que pagar, porquanto esses são dignos de escutar as vossas palavras; pela caridade deles é que os reconhecereis.

Quanto aos que não os quisessem receber, nem ouvir, recomendou Ele porventura aos apóstolos que os amaldiçoassem, que se lhes impusessem, que usassem de violência e de constrangimento para os converterem? Não; mandou, pura e simplesmente, que se fossem embora, à procura de pessoas de boa vontade.

O mesmo diz hoje o Espiritismo a seus adeptos: não violenteis nenhuma consciência; a ninguém forceis para que deixe a sua crença, a fim de adotar a vossa; não anatematizeis os que não pensem como vós; acolhei os que venham ter convosco e deixai tranquilos os que vos repelem. Lembrai-vos das palavras do Cristo. Outrora, o Céu era tomado com violência; hoje o é pela brandura.

CAPÍTULO 2

Dai gratuitamente o que gratuitamente recebestes

Dom de curar

1. Restituí a saúde aos doentes, ressuscitai os mortos, curai os leprosos, expulsai os demônios. Dai gratuitamente o que gratuitamente haveis recebido (*Mateus*, 10:8).

2. "Dai gratuitamente o que gratuitamente haveis recebido", diz Jesus a seus discípulos. Com essa recomendação, prescreve que ninguém se faça pagar daquilo por que nada pagou. Ora, o que eles haviam recebido gratuitamente era a faculdade de curar os doentes e de expulsar os demônios, isto é, os maus Espíritos. Esse dom Deus lhes dera gratuitamente, para alívio dos que sofrem e como meio de propagação da fé; Jesus, pois, recomendava-lhes que não fizessem dele objeto de comércio, nem de especulação, nem meio de vida.

Preces pagas

3. Disse em seguida a seus discípulos, diante de todo o povo que o escutava: "Precatai-vos dos

escribas que se exibem a passear com longas túnicas, que gostam de ser saudados nas praças públicas e de ocupar os primeiros assentos nas sinagogas e os primeiros lugares nos festins; que, a pretexto de extensas preces, devoram as casas das viúvas. Essas pessoas receberão condenação mais rigorosa." (*Lucas*, 20:45 a 47; *Marcos*, 12:38 a 40; *Mateus*, 23:14).

4. Disse também Jesus: não façais que vos paguem as vossas preces; não façais como os escribas que, "a pretexto de longas preces, *devoram as casas das viúvas*", isto é, abocanham as fortunas. A prece é ato de caridade, é um arroubo do coração. Cobrar alguém que se dirija a Deus por outrem é transformar-se em intermediário assalariado. A prece, então, fica sendo uma fórmula, cujo comprimento se proporciona à soma que custe. Ora, uma de duas: Deus ou mede ou não mede as suas graças pelo número das palavras. Se estas forem necessárias em grande número, por que dizê-las poucas, ou quase nenhumas, por aquele que não pode pagar? É falta de caridade. Se uma só basta, é inútil dizê-las em excesso. Por que então cobrá-las? É prevaricação.

Deus não vende os benefícios que concede. Como, pois, um que não é, sequer, o distribuidor deles, que não pode garantir a sua obtenção, cobraria um pedido que talvez nenhum resultado produza? Não é possível que Deus subordine um ato de clemência, de bondade ou de justiça, que da sua misericórdia se solicite, a uma soma em dinheiro. Do contrário, se a soma não fosse paga, ou fosse insuficiente, a justiça, a bondade e a clemência de Deus ficariam em suspenso. A razão, o bom senso e a lógica dizem ser impossível que Deus, a perfeição absoluta, delegue a criaturas imperfeitas o direito de estabelecer preço para a sua justiça. A Justiça de Deus é como o Sol: existe para todos, para o pobre como para o rico. Pois que se considera imoral traficar com as graças de um soberano da Terra, poder-se-á ter por lícito o comércio com as do soberano do Universo?

Ainda outro inconveniente apresentam as preces pagas: é que aquele que as compra se julga, as mais das vezes, dispensado de orar ele próprio, porquanto se considera quite, desde que deu o seu dinheiro. Sabe-se que os Espíritos se sentem tocados pelo fervor de quem por eles se interessa. Qual pode ser o fervor daquele que comete a terceiro o encargo de por ele orar, mediante paga? Qual o fervor desse terceiro, quando delega o seu mandato a outro, este a outro e assim por diante? Não será isso reduzir a eficácia da prece ao valor de uma moeda em curso?

Mercadores expulsos do templo

5. Eles vieram em seguida a Jerusalém, e Jesus, entrando no templo, começou por expulsar dali os que vendiam e compravam; derribou as mesas dos cambistas e os bancos dos que vendiam pombos; e não permitiu que alguém transportasse qualquer utensílio pelo templo. Ao mesmo tempo os instruía,

dizendo: "Não está escrito: 'Minha casa será chamada casa de oração por todas as nações?' Entretanto, fizestes dela um covil de ladrões!" — Os príncipes dos sacerdotes, ouvindo isso, procuravam meio de o perderem, pois o temiam, visto que todo o povo era tomado de admiração pela sua doutrina (*Marcos*, 11:15 a 18; *Mateus*, 21:12 e 13).

6. Jesus expulsou do templo os mercadores. Condenou assim o tráfico das coisas santas sob qualquer forma. Deus não vende a sua bênção, nem o seu perdão, nem a entrada no Reino dos Céus. Não tem, pois, o homem, o direito de lhes estipular preço.

Mediunidade gratuita

7. Os médiuns atuais — pois que também os apóstolos tinham mediunidade — igualmente receberam de Deus um dom gratuito: o de serem intérpretes dos Espíritos, para instrução dos homens, para lhes mostrar o caminho do bem e conduzi-los à fé, não para lhes vender palavras que não lhes pertencem, a eles médiuns, visto que não são fruto de *suas concepções, nem de suas pesquisas, nem de seus trabalhos pessoais*. Deus quer que a luz chegue a todos; não quer que o mais pobre fique dela privado e possa dizer: não tenho fé, porque não a pude pagar; não tive o consolo de receber os encorajamentos e os testemunhos de afeição dos que pranteio, porque sou pobre. Tal a razão por que a mediunidade não constitui privilégio e se encontra por toda parte.

Fazê-la paga seria, pois, desviá-la do seu providencial objetivo.

8. Quem conhece as condições em que os bons Espíritos se comunicam, a repulsão que sentem por tudo o que é de interesse egoístico, e sabe quão pouca coisa se faz mister para que eles se afastem, jamais poderá admitir que os Espíritos Superiores estejam à disposição do primeiro que apareça e os convoque a tanto por sessão. O simples bom senso repele semelhante ideia. Não seria também uma profanação evocarmos, por dinheiro, os seres que respeitamos, ou que nos são caros? É fora de dúvida que se podem assim obter manifestações, mas quem lhes poderia garantir a sinceridade? Os Espíritos levianos, mentirosos, brincalhões e toda a caterva dos Espíritos inferiores, nada escrupulosos, sempre acorrem, prontos a responder ao que se lhes pergunte, sem se preocuparem com a verdade. Quem, pois, deseje comunicações sérias deve, antes de tudo, pedi--las seriamente e, em seguida, inteirar-se da natureza das simpatias do médium com os seres do mundo espiritual. Ora, a primeira condição para se granjear a benevolência dos bons Espíritos é a humildade, o devotamento, a abnegação, o mais absoluto desinteresse *moral e material*.

9. A par da questão moral, apresenta-se uma consideração efetiva não menos importante, que entende com a natureza mesma da faculdade. A mediunidade séria não pode ser e não o será nunca uma

Capítulo 2

profissão, não só porque se desacreditaria moralmente, identificada para logo com a dos ledores da boa sorte, como também porque um obstáculo a isso se opõe. É que se trata de uma faculdade essencialmente móvel, fugidia e mutável, com cuja perenidade, pois, ninguém pode contar. Constituiria, portanto, para o explorador, uma fonte absolutamente incerta de receitas, de natureza a poder faltar-lhe no momento exato em que mais necessária lhe fosse. Coisa diversa é o talento adquirido pelo estudo, pelo trabalho e que, por essa razão mesma, representa uma propriedade da qual naturalmente lícito é, ao seu possuidor, tirar partido. A mediunidade, porém, não é uma arte, nem um talento, pelo que não pode tornar-se uma profissão. Ela não existe sem o concurso dos Espíritos; faltando estes, já não há mediunidade. Pode subsistir a aptidão, mas o seu exercício se anula. Daí vem não haver no mundo um único médium capaz de garantir a obtenção de qualquer fenômeno espírita em dado instante. Explorar alguém a mediunidade é, conseguintemente, dispor de uma coisa da qual não é realmente dono. Afirmar o contrário é enganar a quem paga. Há mais: não é de *si próprio* que o explorador dispõe; é do concurso dos Espíritos, das almas dos mortos, que ele põe a preço de moeda. Essa ideia causa instintiva repugnância. Foi esse tráfico, degenerado em abuso, explorado pelo charlatanismo, pela ignorância, pela credulidade e pela superstição que motivou a proibição de Moisés. O moderno Espiritismo, compreendendo o lado sério da questão, pelo descrédito a que lançou essa exploração, elevou a mediunidade à categoria de missão.

10. A mediunidade é coisa santa, que deve ser praticada santamente, religiosamente. Se há um gênero de mediunidade que requeira essa condição de modo ainda mais absoluto é a mediunidade curadora. O médico dá o fruto de seus estudos, feitos, muita vez, à custa de sacrifícios penosos. O magnetizador dá o seu próprio fluido, por vezes até a sua saúde. Podem pôr-lhes preço. O médium curador transmite o fluido salutar dos bons Espíritos; não tem o direito de vendê-lo. Jesus e os apóstolos, ainda que pobres, nada cobravam pelas curas que operavam.

Procure, pois, aquele que carece do que viver, recursos em qualquer parte, menos na mediunidade; não lhe consagre, se assim for preciso, senão o tempo de que materialmente possa dispor. Os Espíritos lhe levarão em conta o devotamento e os sacrifícios, ao passo que se afastam dos que esperam fazer deles uma escada por onde subam.

CAPÍTULO 3
Pedi e obtereis

Qualidades da prece

1. Quando orardes, não vos assemelheis aos hipócritas, que, afetadamente, oram de pé nas sinagogas e nos cantos das ruas para serem vistos pelos homens. Digo-vos, em verdade, que eles já receberam sua recompensa. Quando quiserdes orar, entrai para o vosso quarto e, fechada a porta, orai a vosso Pai em secreto; e vosso Pai, que vê o que se passa em secreto, vos dará a recompensa.

Não cuideis de pedir muito nas vossas preces, como fazem os pagãos, os quais imaginam que pela multiplicidade das palavras é que serão atendidos. Não vos torneis semelhantes a eles, porque vosso Pai sabe do que é que tendes necessidade, antes que lho peçais (*Mateus*, 6:5 a 8).

2. Quando vos apresentardes para orar, se tiverdes qualquer coisa contra alguém, perdoai-lhe, a fim de que vosso Pai, que está nos Céus, também vos perdoe os vossos pecados. Se não perdoardes, vosso Pai, que está nos Céus, também não vos perdoará os pecados (*Marcos*, 11:25 e 26).

3. Também disse esta parábola a alguns que punham a sua confiança em si mesmos, como sendo justos, e desprezavam os outros:

Dois homens subiram ao templo para orar; um era fariseu, publicano o outro. O fariseu, conservando-se de pé, orava assim, consigo mesmo: "Meu Deus, rendo-vos graças por não ser como os outros homens, que são ladrões, injustos e adúlteros, nem mesmo como esse publicano. Jejuo duas vezes na semana; dou o dízimo de tudo o que possuo."

O publicano, ao contrário, conservando-se afastado, não ousava, sequer, erguer os olhos ao Céu; mas batia no peito dizendo: "Meu Deus, tem piedade de mim, que sou um pecador."

Declaro-vos que este voltou para a sua casa justificado, e o outro não; porquanto, aquele que se eleva será rebaixado e aquele que se humilha será elevado (*Lucas*, 18:9 a 14).

4. Jesus definiu claramente as qualidades da prece. Quando orardes, diz Ele, não vos ponhais em evidência; antes, orai em secreto. Não afeteis orar muito, pois não é pela multiplicidade das palavras que sereis escutados, mas pela sinceridade delas. Antes de orardes, se tiverdes qualquer coisa contra alguém, perdoai-lhe, visto que a prece não pode ser agradável a Deus, se não parte de um coração purificado de todo sentimento contrário à caridade. Orai, enfim, com humildade, como o publicano, e não com orgulho, como o fariseu. Examinai os vossos

defeitos, não as vossas qualidades e, se vos comparardes aos outros, procurai o que há em vós de mau.

Eficácia da prece

5. Seja o que for que peçais na prece, crede que o obtereis e concedido vos será o que pedirdes (*Marcos*, 11:24).

6. Há quem conteste a eficácia da prece, com fundamento no princípio de que, conhecendo Deus as nossas necessidades, inútil se torna expor-lhas. E acrescentam os que assim pensam que, achando-se tudo no Universo encadeado por Leis Eternas, não podem as nossas súplicas mudar os Decretos de Deus.

Sem dúvida alguma há Leis Naturais e Imutáveis que não podem ser ab-rogadas ao capricho de cada um; mas, daí a crer-se que todas as circunstâncias da vida estão submetidas à fatalidade, vai grande distância. Se assim fosse, nada mais seria o homem do que instrumento passivo, sem livre-arbítrio e sem iniciativa. Nessa hipótese, só lhe caberia curvar a cabeça ao jugo dos acontecimentos, sem cogitar de evitá-los; não devera ter procurado desviar o raio. Deus não lhe outorgou a razão e a inteligência, para que ele as deixasse sem serventia; a vontade, para não querer; a atividade, para ficar inativo. Sendo livre o homem de agir num sentido ou noutro, seus atos lhe acarretam, e aos demais, consequências subordinadas ao que ele faz ou não. Há, pois, devidos à sua iniciativa, sucessos que forçosamente escapam à fatalidade e que não quebram a harmonia das Leis Universais, do mesmo modo que o avanço ou o atraso do ponteiro de um relógio não anula a lei do movimento sobre a qual se funda o mecanismo. Possível é, portanto, que Deus aceda a certos pedidos, sem perturbar a imutabilidade das leis que regem o conjunto, subordinada sempre essa anuência à sua vontade.

7. Desta máxima: "Concedido vos será o que quer que pedirdes pela prece", fora ilógico deduzir que basta pedir para obter e fora injusto acusar a Providência se não acede a toda súplica que se lhe faça, uma vez que ela sabe, melhor do que nós, o que é para nosso bem. É como procede um pai criterioso que recusa ao filho o que seja contrário aos seus interesses. Em geral, o homem apenas vê o presente; ora, se o sofrimento é de utilidade para a sua felicidade futura, Deus o deixará sofrer, como o cirurgião deixa que o doente sofra as dores de uma operação que lhe trará a cura.

O que Deus lhe concederá sempre, se ele o pedir com confiança, é a coragem, a paciência, a resignação. Também lhe concederá os meios de se tirar por si mesmo das dificuldades, mediante ideias que fará lhe sugiram os bons Espíritos, deixando-lhe dessa forma o mérito da ação. Ele assiste os que ajudam a si mesmos, de conformidade com esta máxima: "Ajuda-te, que o Céu te ajudará"; não assiste, porém, os que tudo esperam de um socorro estranho, sem fazer uso das faculdades que possui. Entretanto, as

Capítulo 3

mais das vezes, o que o homem quer é ser socorrido por milagre, sem despender o mínimo esforço.

8. Tomemos um exemplo. Um homem se acha perdido no deserto. A sede o martiriza horrivelmente. Desfalecido, cai por terra. Pede a Deus que o assista, e espera. Nenhum anjo lhe virá dar de beber. Contudo, um bom Espírito lhe *sugere* a ideia de levantar-se e tomar um dos caminhos que tem diante de si. Por um movimento maquinal, reunindo todas as forças que lhe restam, ele se ergue, caminha e descobre ao longe um regato. Ao divisá-lo, ganha coragem. Se tem fé, exclamará: "Obrigado, meu Deus, pela ideia que me inspiraste e pela força que me deste". Se lhe falta a fé, exclamará: "Que boa ideia *tive*! Que *sorte* a minha de tomar o caminho da direita, em vez do da esquerda; o acaso, às vezes, nos serve admiravelmente! Quanto me felicito pela *minha* coragem e por não me ter deixado abater!"

Mas, dirão, por que o bom Espírito não lhe disse claramente: "Segue este caminho, que encontrarás o de que necessitas?" Por que não se lhe mostrou para o guiar e sustentar no seu desfalecimento? Dessa maneira tê-lo-ia convencido da intervenção da Providência. Primeiramente, para lhe ensinar que cada um deve ajudar a si mesmo e fazer uso das suas forças. Depois, pela incerteza, Deus põe à prova a confiança que nele deposita a criatura e a submissão desta à sua vontade. Aquele homem estava na situação de uma criança que cai e que, dando com alguém, se põe a gritar e fica à espera de que a venham levantar; se não vê pessoa alguma, faz esforços e se ergue sozinha.

Se o anjo que acompanhou Tobias lhe houvera dito: "Sou Enviado por Deus para te guiar na tua viagem e te preservar de todo perigo", nenhum mérito teria tido Tobias. Fiando-se no seu companheiro, nem sequer de pensar teria precisado. Essa a razão por que o anjo só se deu a conhecer ao regressarem.

Ação da prece. Transmissão do pensamento

9. A prece é uma invocação, mediante a qual o homem entra, pelo pensamento, em comunicação com o ser a quem se dirige. Pode ter por objeto um pedido, um agradecimento, ou uma glorificação. Podemos orar por nós mesmos ou por outrem, pelos vivos ou pelos mortos. As preces feitas a Deus escutam-nas os Espíritos incumbidos da execução de suas vontades; as que se dirigem aos bons Espíritos são reportadas a Deus. Quando alguém ora a outros seres que não a Deus, fá-lo recorrendo a intermediários, a intercessores, porquanto nada sucede sem a Vontade de Deus.

10. O Espiritismo torna compreensível a ação da prece, explicando o modo de transmissão do pensamento, quer no caso em que o ser a quem oramos acuda ao nosso apelo, quer no em que apenas lhe chegue o nosso pensamento. Para apreendermos o que ocorre em tal circunstância, precisamos conceber

Capítulo 3

mergulhados no fluido universal, que ocupa o espaço, todos os seres, encarnados e desencarnados, tal qual nos achamos, neste mundo, dentro da atmosfera. Esse fluido recebe da vontade uma impulsão; ele é o veículo do pensamento, como o ar o é do som, com a diferença de que as vibrações do ar são circunscritas, ao passo que as do fluido universal se estendem ao infinito. Dirigido, pois, o pensamento para um ser qualquer, na Terra ou no espaço, de encarnado para desencarnado, ou vice-versa, uma corrente fluídica se estabelece entre um e outro, transmitindo de um ao outro o pensamento, como o ar transmite o som.

A energia da corrente guarda proporção com a do pensamento e da vontade. É assim que os Espíritos ouvem a prece que lhes é dirigida, qualquer que seja o lugar onde se encontrem; é assim que os Espíritos se comunicam entre si, que nos transmitem suas inspirações, que relações se estabelecem a distância entre encarnados.

Essa explicação vai, sobretudo, com vistas aos que não compreendem a utilidade da prece puramente mística. Não tem por fim materializar a prece, mas torná-la inteligíveis os efeitos, mostrando que pode exercer ação direta e efetiva. Nem por isso deixa essa ação de estar subordinada à Vontade de Deus, Juiz Supremo em todas as coisas, único apto a torná-la eficaz.

11. Pela prece, obtém o homem o concurso dos bons Espíritos que acorrem a sustentá-lo em suas boas resoluções e a inspirar-lhe ideias sãs. Ele

adquire, desse modo, a força moral necessária a vencer as dificuldades e a volver ao caminho reto, se deste se afastou. Por esse meio, pode também desviar de si os males que atrairia pelas suas próprias faltas. Um homem, por exemplo, vê arruinada a sua saúde, em consequência de excessos a que se entregou, e arrasta, até o termo de seus dias, uma vida de sofrimento: terá ele o direito de queixar-se, se não obtiver a cura que deseja? Não, pois que houvera podido encontrar na prece a força de resistir às tentações.

12. Se em duas partes se dividirem os males da vida, uma constituída dos que o homem não pode evitar e a outra das tribulações de que ele se constituiu a causa primária, pela sua incúria ou por seus excessos, ver-se-á que a segunda, em quantidade, excede de muito à primeira. Faz-se, portanto, evidente que o homem é o autor da maior parte das suas aflições, às quais se pouparia, se sempre obrasse com sabedoria e prudência.

Não menos certo é que todas essas misérias resultam das nossas infrações às Leis de Deus e que, se as observássemos pontualmente, seríamos inteiramente ditosos. Se não ultrapassássemos o limite do necessário, na satisfação das nossas necessidades, não apanharíamos as enfermidades que resultam dos excessos, nem experimentaríamos as vicissitudes que as doenças acarretam. Se puséssemos freio à nossa ambição, não teríamos de temer a ruína; se não quiséssemos subir mais alto do que podemos, não

Capítulo 3

teríamos de recear a queda; se fôssemos humildes, não sofreríamos as decepções do orgulho abatido; se praticássemos a Lei de Caridade, não seríamos maldizentes, nem invejosos, nem ciosos, e evitaríamos as disputas e dissensões; se mal a ninguém fizéssemos, não houvéramos de temer as vinganças etc.

Admitamos que o homem nada possa com relação aos outros males; que toda prece lhe seja inútil para livrar-se deles; já não seria muito o ter a possibilidade de ficar isento de todos os que decorrem da sua maneira de proceder? Ora, aqui, facilmente se concebe a ação da prece, visto ter por efeito atrair a salutar inspiração dos Espíritos bons, granjear deles força para resistir aos maus pensamentos, cuja realização nos pode ser funesta. Nesse caso, *o que eles fazem não é afastar de nós o mal, porém, sim, desviar a nós do mau pensamento que nos pode causar dano; eles em nada obstam ao cumprimento dos decretos de Deus, nem suspendem o curso das Leis da Natureza; apenas evitam que as infrinjamos, dirigindo o nosso livre-arbítrio.* Agem, contudo, à nossa revelia, de maneira imperceptível, para nos não subjugar a vontade. O homem se acha então na posição de um que solicita bons conselhos e os põe em prática, mas conservando a liberdade de segui-los, ou não. Quer Deus que seja assim, para que aquele tenha a responsabilidade dos seus atos e o mérito da escolha entre o bem e o mal. É isso o que o homem pode estar sempre certo de receber, se o pedir com fervor, sendo, pois, a isso que se podem, sobretudo aplicar estas palavras: "Pedi e obtereis".

Mesmo com sua eficácia reduzida a essas proporções, já não traria a prece resultados imensos? Ao Espiritismo fora reservado provar-nos a sua ação, com o nos revelar as relações existentes entre o mundo corpóreo e o Mundo Espiritual. Os efeitos da prece, porém, não se limitam aos que vimos de apontar.

Recomendam-na todos os Espíritos. Renunciar alguém à prece é negar a bondade de Deus; é recusar, para si, a sua assistência e, para com os outros, abrir mão do bem que lhes pode fazer.

13. Acedendo ao pedido que se lhe faz, Deus muitas vezes objetiva recompensar a intenção, o devotamento e a fé daquele que ora. Daí decorre que a prece do homem de bem tem mais merecimento aos olhos de Deus e sempre mais eficácia, porquanto o homem vicioso e mau não pode orar com o fervor e a confiança que somente nascem do sentimento da verdadeira piedade. Do coração do egoísta, do daquele que apenas de lábios ora, unicamente saem *palavras*, nunca os ímpetos de caridade que dão à prece todo o seu poder. Tão claramente isso se compreende que, por um movimento instintivo, quem se quer recomendar às preces de outrem fá-lo de preferência às daqueles cujo proceder, sente-se, há de ser mais agradável a Deus, pois que são mais prontamente ouvidos.

14. Por exercer a prece uma como ação magnética, poder-se-ia supor que o seu efeito depende da

força fluídica. Assim, entretanto, não o é. Exercendo sobre os homens essa ação, os Espíritos, sendo preciso, suprem a insuficiência daquele que ora, ou agindo diretamente *em seu nome*, ou dando-lhe momentaneamente uma força excepcional, quando o julgam digno dessa graça, ou que ela lhe pode ser proveitosa.

O homem que não se considere suficientemente bom para exercer salutar influência, não deve por isso abster-se de orar a bem de outrem, com a ideia de que não é digno de ser escutado. A consciência da sua inferioridade constitui uma prova de humildade, grata sempre a Deus, que leva em conta a intenção caridosa que o anima. Seu fervor e sua confiança são um primeiro passo para a sua conversão ao bem, conversão que os Espíritos bons se sentem ditosos em incentivar. Repelida só o é a prece *do orgulhoso que deposita fé no seu poder e nos seus merecimentos e acredita ser-lhe possível sobrepor-se à Vontade do Eterno.*

15. Está no pensamento o poder da prece, que por nada depende nem das palavras, nem do lugar, nem do momento em que seja feita. Pode-se, portanto, orar em toda parte e a qualquer hora, a sós ou em comum. A influência do lugar ou do tempo só se faz sentir nas circunstâncias que favoreçam o recolhimento. *A prece em comum tem ação mais poderosa, quando todos os que oram se associam de coração a um mesmo pensamento e colimam o mesmo objetivo,* porquanto é como se muitos clamassem juntos e em

uníssono. Mas que importa seja grande o número de pessoas reunidas para orar, se cada uma atua isoladamente e por conta própria?! Cem pessoas juntas poderão orar como egoístas, enquanto duas ou três, ligadas por uma mesma aspiração, orarão quais verdadeiros irmãos em Deus, e mais força terá a prece que lhe dirijam do que a das cem outras.

Preces inteligíveis

16. Se eu não entender o que significam as palavras, serei um bárbaro para aquele a quem falo e aquele que me fala será para mim um bárbaro. Se oro numa língua que não entendo, meu coração ora, mas a minha inteligência não colhe fruto. Se louvais a Deus apenas de coração, como é que um homem do número daqueles que só entendem a sua própria língua responderá amém no fim da vossa ação de graças, uma vez que ele não entende o que dizeis? Não é que a vossa ação não seja boa, mas os outros não se edificam com ela (*Paulo, I Coríntios*, 14:11, 14, 16 e 17).

17. A prece só tem valor pelo pensamento que lhe está conjugado. Ora, é impossível conjugar um pensamento qualquer ao que se não compreende, porquanto o que não se compreende não pode tocar o coração. Para a imensa maioria das criaturas, as preces feitas numa língua que elas não entendem não passam de amálgamas de palavras que nada dizem ao espírito. Para que a prece toque, preciso se torna que cada palavra desperte uma ideia e, desde que não

seja entendida, nenhuma ideia poderá despertar. Será dita como simples fórmula, cuja virtude dependerá do maior ou menor número de vezes que a repitam. Muitos oram por dever; alguns, mesmo, por obediência aos usos, pelo que se julgam quites, desde que tenham dito uma oração determinado número de vezes e em tal ou tal ordem. Deus vê o que se passa no fundo dos corações; lê o pensamento e percebe a sinceridade. Julgá-lo, pois, mais sensível à forma do que ao fundo é rebaixá-lo.

Da prece pelos mortos e pelos Espíritos sofredores

18. Os Espíritos sofredores reclamam preces e estas lhes são proveitosas, porque, verificando que há quem neles pense, menos abandonados se sentem, menos infelizes. Entretanto, a prece tem sobre eles ação mais direta: reanima-os, incute-lhes o desejo de se elevarem pelo arrependimento e pela reparação e, possivelmente, desvia-lhes do mal o pensamento. É nesse sentido que lhes pode não só aliviar, como abreviar os sofrimentos.

19. Pessoas há que não admitem a prece pelos mortos, porque, segundo acreditam, a alma só tem duas alternativas: ser salva ou ser condenada às penas eternas, resultando, pois, em ambos os casos, inútil a prece. Sem discutir o valor dessa crença, admitamos, por instantes, a realidade das penas eternas e irremissíveis e que as nossas preces sejam

impotentes para lhes pôr termo. Perguntamos se, nessa hipótese, será lógico, será caridoso, será cristão recusar a prece pelos réprobos? Tais preces, por mais impotentes que fossem para os liberar, não lhes seriam uma demonstração de piedade capaz de abrandar-lhes os sofrimentos? Na Terra, quando um homem é condenado a galés perpétuas, quando mesmo não haja a mínima esperança de obter-se para ele perdão, será defeso a uma pessoa caridosa ir carregar-lhe os grilhões, para aliviá-lo do peso destes? Sendo alguém atacado de mal incurável, dever-se-á, por não haver para o doente esperança nenhuma de cura, abandoná-lo, sem lhe proporcionar qualquer alívio? Lembrai-vos de que, entre os réprobos, pode achar-se uma pessoa que vos foi cara, um amigo, talvez um pai, uma mãe, ou um filho, e dizei se, não havendo, segundo credes, possibilidade de ser perdoado esse ente, lhe recusaríeis um copo d'água para mitigar-lhe a sede? Um bálsamo que lhe seque as chagas? Não faríeis por ele o que faríeis por um galé? Não lhe daríeis uma prova de amor, uma consolação? Não, isso cristão não seria. Uma crença que petrifica o coração é incompatível com a crença em um Deus que põe na primeira categoria dos deveres o amor ao próximo.

A não eternidade das penas não implica a negação de uma penalidade temporária, dado não ser possível que Deus, em sua justiça, confunda o bem e o mal. Ora, negar, neste caso, a eficácia da prece, fora negar a eficácia da consolação, dos encorajamentos, dos bons conselhos; fora negar a força que haurimos da assistência moral dos que nos querem bem.

20. Outros se fundam numa razão mais especiosa: a imutabilidade dos decretos divinos. Deus, dizem esses, não pode mudar as suas decisões a pedido das criaturas; a não ser assim, careceria de estabilidade o mundo. O homem, pois, nada tem de pedir a Deus, só lhe cabendo submeter-se e adorá-lo.

Há, nesse modo de raciocinar, uma aplicação falsa do princípio da imutabilidade da Lei Divina, ou melhor, ignorância da Lei, no que concerne à penalidade futura. Essa Lei revelam-na hoje os Espíritos do Senhor, quando o homem se tornou suficientemente maduro para compreender o que, na fé, é conforme ou contrário aos atributos divinos.

Segundo o dogma da eternidade absoluta das penas, não se levam em conta ao culpado os remorsos, nem o arrependimento. É-lhe inútil todo desejo de melhorar-se: está condenado a conservar-se perpetuamente no mal. Se a sua condenação foi por determinado tempo, a pena cessará, uma vez expirado esse tempo. Mas quem poderá afirmar que ele então possua melhores sentimentos? Quem poderá dizer que, a exemplo de muitos condenados da Terra, ao sair da prisão, ele não seja tão mau quanto antes? No primeiro caso, seria manter na dor do castigo um homem que volveu ao bem; no segundo, seria agraciar a um que continua culpado. A Lei de Deus é mais previdente. Sempre justa, equitativa e misericordiosa, não estabelece para a pena, qualquer que esta seja, duração alguma. Ela se resume assim:

21. "O homem sofre sempre a consequência de suas faltas; não há uma só infração à Lei de Deus que fique sem a correspondente punição.

"A severidade do castigo é proporcional à gravidade da falta.

"*Indeterminada* é a duração do castigo, para qualquer falta; *fica subordinada ao arrependimento do culpado e ao seu retorno à senda do bem*; a pena dura tanto quanto a obstinação no mal; seria perpétua, se perpétua fosse a obstinação; dura pouco, se pronto é o arrependimento.

"Desde que o culpado clame por misericórdia, Deus o ouve e lhe concede a esperança. Mas não basta o simples pesar do mal causado; é necessária a reparação, pelo que o culpado se vê submetido a novas provas em que pode, sempre por sua livre vontade, praticar o bem, reparando o mal que haja feito.

"O homem é, assim, constantemente, o árbitro de sua própria sorte; pertence-lhe abreviar ou prolongar indefinidamente o seu suplício; a sua felicidade ou a sua desgraça dependem da vontade que tenha de praticar o bem."

Tal a Lei, Lei *Imutável* e em conformidade com a bondade e a Justiça de Deus.

Assim, o Espírito culpado e infeliz pode sempre salvar-se a si mesmo: a Lei de Deus estabelece a condição em que se lhe torna possível fazê-lo. O que as mais das vezes lhe falta é a vontade, a força, a coragem. Se, por nossas preces, lhe inspiramos essa vontade, se o amparamos e animamos; se, pelos nossos conselhos, lhe damos as luzes de que carece, *em lugar de pedirmos a Deus que derrogue a sua Lei, tornamo-nos instrumentos da execução de outra Lei, também sua, a de Amor e de Caridade,* execução em que, desse modo, Ele nos permite participar, dando nós mesmos, com isso, uma prova de caridade.

Instruções dos Espíritos

Maneira de orar

22. O dever primordial de toda criatura humana, o primeiro ato que deve assinalar a sua volta à vida ativa de cada dia, é a prece. Quase todos vós orais, mas quão poucos são os que sabem orar! Que importam ao Senhor as frases que maquinalmente articulais umas às outras, fazendo disso um hábito, um dever que cumpris e que vos pesa como qualquer dever?

A prece do cristão, do *espírita*, seja qual for o seu culto, deve ele dizê-la logo que o Espírito haja retomado o jugo da carne; deve elevar-se aos pés da Majestade Divina com humildade, com profundeza, num ímpeto de reconhecimento por todos os benefícios recebidos até aquele dia; pela noite transcorrida e durante a qual lhe foi permitido, ainda que sem consciência disso, ir ter com os seus amigos, com os seus guias, para haurir, no contato com eles, mais força e perseverança. Deve ela subir humilde aos pés do Senhor, para lhe recomendar a vossa fraqueza, para lhe suplicar amparo, indulgência e misericórdia. Deve ser profunda, porquanto é a vossa alma que tem de elevar-se para o Criador, de transfigurar-se, como Jesus no Tabor, a fim de lá chegar nívea e radiosa de esperança e de amor.

A vossa prece deve conter o pedido das graças de que necessitais, mas de que necessitais em realidade. Inútil, portanto, pedir ao Senhor que vos abrevie as provas, que vos dê alegrias e riquezas. Rogai-lhe que vos conceda os bens mais preciosos da paciência, da resignação e da fé. Não digais, como o fazem muitos: "Não vale a pena orar, porquanto Deus não me atende". Que é o que, na maioria dos casos, pedis a Deus? Já vos tendes lembrado de pedir-lhe a vossa melhoria moral? Oh! não; bem poucas vezes o tendes feito. O que preferentemente vos lembrais de pedir *é o bom êxito para os vossos empreendimentos terrenos* e haveis com frequência exclamado: "Deus não se ocupa conosco; se se ocupasse, não se verificariam tantas injustiças". Insensatos! Ingratos! Se descêsseis ao fundo da vossa consciência, quase sempre depararíeis, em vós mesmos, com o ponto de partida dos males de que vos queixais. Pedi, pois, antes de tudo, que vos possais melhorar e vereis que torrente de graças e de consolações se derramará sobre vós.

Capítulo 3

Deveis orar incessantemente, sem que, para isso, se faça mister vos recolhais ao vosso oratório, ou vos lanceis de joelhos nas praças públicas. A prece do dia é o cumprimento dos vossos deveres, sem exceção de nenhum, qualquer que seja a natureza deles. Não é ato de amor a Deus assistirdes os vossos irmãos numa necessidade, moral ou física? Não é ato de reconhecimento o elevardes a Ele o vosso pensamento, quando uma felicidade vos advém, quando evitais um acidente, quando mesmo uma simples contrariedade apenas vos roça a alma, desde que vos não esqueçais de exclamar: *Sede bendito, meu Pai?!* Não é ato de contrição o vos humilhardes diante do Supremo Juiz, quando sentis que falistes, ainda que somente por um pensamento fugaz, para lhe dizerdes: *Perdoai-me, meu Deus, pois pequei* (por orgulho, por egoísmo, ou por falta de caridade); *dai-me forças para não falir de novo e coragem para a reparação da minha falta?!*

Isso independe das preces regulares da manhã, da noite e dos dias consagrados. Como o vedes, a prece pode ser de todos os instantes, sem nenhuma interrupção acarretar aos vossos trabalhos. Dita assim, ela, ao contrário, os santifica. Tende como certo que um só desses pensamentos, se partir do coração, é mais ouvido pelo vosso Pai Celestial do que as longas orações ditas por hábito, muitas vezes sem causa determinante e às quais *apenas maquinalmente vos chama a hora convencional* – V. Monod (Bordeaux, 1862).

Felicidade que a prece proporciona

23. Vinde, vós que desejais crer. Os Espíritos celestes acorrem a vos anunciar grandes coisas. Deus, meus filhos, abre os seus tesouros, para vos outorgar todos os benefícios. Homens incrédulos! Se soubésseis quão grande bem faz a fé ao coração e como induz a alma ao arrependimento e à prece! A prece! ah!... como são tocantes as palavras que saem da boca daquele que ora! A prece é o orvalho divino que aplaca o calor excessivo das paixões. Filha primogênita da fé, ela nos encaminha para a senda que conduz a Deus. No recolhimento e na solidão, estais com Deus. Para vós, já não há mistérios; eles se vos desvendam. Apóstolos do pensamento, é para vós a vida. Vossa alma se desprende da matéria e rola por esses mundos infinitos e etéreos, que os pobres humanos desconhecem.

Avançai, avançai pelas veredas da prece e ouvireis as vozes dos anjos. Que harmonia! Já não são o ruído confuso e os sons estrídulos da Terra; são as liras dos arcanjos; são as vozes brandas e suaves dos serafins, mais delicadas do que as brisas matinais, quando brincam na folhagem dos vossos bosques. Por entre que delícias não caminhareis! A vossa linguagem não poderá exprimir essa ventura, tão rápida entra ela por todos os vossos poros, tão vivo e refrigerante é o manancial em que, orando, se bebe. Dulçorosas vozes, inebriantes perfumes, que a alma ouve e aspira, quando se lança a essas esferas

Capítulo 3

desconhecidas e habitadas pela prece! Sem mescla de desejos carnais, são divinas todas as aspirações. Também vós, orai como o Cristo, levando a sua cruz ao Gólgota, ao Calvário. Carregai a vossa cruz e sentireis as doces emoções que lhe perpassavam na alma, se bem que vergado ao peso de um madeiro infamante. Ele ia morrer, mas para viver a vida celestial na morada de seu Pai – Santo Agostinho (Paris, 1861).

CAPÍTULO 4
Coletânea de preces espíritas

Preâmbulo

1. Os Espíritos hão dito sempre: "A forma nada vale, o pensamento é tudo. Ore, pois, cada um segundo suas convicções e da maneira que mais o toque. Um bom pensamento vale mais do que grande número de palavras com as quais nada tenha o coração".

Os Espíritos jamais prescreveram qualquer fórmula absoluta de preces. Quando dão alguma, é apenas para fixar as ideias e, sobretudo, para chamar a atenção sobre certos princípios da Doutrina Espírita. Fazem-no também com o fim de auxiliar os que sentem embaraço para externar suas ideias, pois alguns há que não acreditariam ter orado realmente, desde que não formulassem seus pensamentos.

A coletânea de preces, que este capítulo encerra, representa uma escolha feita entre muitas que os Espíritos ditaram em várias circunstâncias. Eles, sem dúvida, podem ter ditado outras e em termos

Capítulo 4

diversos, apropriadas a certas ideias ou a casos especiais; mas, pouco importa a forma, se o pensamento é essencialmente o mesmo. O objetivo da prece consiste em elevar nossa alma a Deus; a diversidade das fórmulas nenhuma diferença deve criar entre os que nele creem, nem, ainda menos, entre os adeptos do Espiritismo, porquanto Deus as aceita todas quando sinceras.

Não há, pois, considerar esta coletânea como um formulário absoluto e único, mas, apenas, uma variedade no conjunto das instruções que os Espíritos ministram. É uma aplicação dos princípios da moral evangélica desenvolvidos neste livro, um complemento aos ditados deles, relativos aos deveres para com Deus e o próximo, complemento em que são lembrados todos os princípios da Doutrina.

O Espiritismo reconhece como boas as preces de todos os cultos, quando ditas de coração e não de lábios somente. Nenhuma impõe, nem reprova nenhuma. Deus, segundo ele, é sumamente grande para repelir a voz que lhe suplica ou lhe entoa louvores, porque o faz de um modo e não de outro. *Quem quer que lance anátema às preces que não estejam no seu formulário provará que desconhece a grandeza de Deus.* Crer que Deus se atenha a uma fórmula é emprestar-lhe a pequenez e as paixões da Humanidade.

Condição essencial à prece, segundo Paulo, é que seja inteligível, a fim de que nos possa falar ao espírito. Para isso, não basta seja dita numa língua que aquele que ora compreenda. Há preces em língua vulgar que não dizem ao pensamento muito mais do que se fossem proferidas em língua estrangeira, e que, por isso mesmo, não chegam ao coração. As raras ideias que elas contêm ficam, as mais das vezes, abafadas pela superabundância das palavras e pelo misticismo da linguagem.

A qualidade principal da prece é ser clara, simples e concisa, sem fraseologia inútil, nem luxo de epítetos, que são meros adornos de lentejoulas. Cada palavra deve ter alcance próprio, despertar uma ideia, pôr em vibração uma fibra da alma. Numa palavra: *deve fazer refletir*. Somente sob essa condição pode a prece alcançar o seu objetivo; de outro modo, *não passa de ruído*. Entretanto, notai com que ar distraído e com que volubilidade elas são ditas na maioria dos casos. Veem-se lábios a mover-se; mas, pela expressão da fisionomia, pelo som mesmo da voz, verifica-se que ali apenas há um ato maquinal, puramente exterior, ao qual se conserva indiferente a alma.

Estão divididas em cinco categorias as preces constantes nesta coletânea; 1ª) Preces gerais; 2ª) Preces por aquele mesmo que ora; 3ª) Preces pelos vivos; 4ª) Preces pelos mortos; 5ª) Preces especiais pelos enfermos e pelos obsidiados.

Com o propósito de chamar, de maneira especial, a atenção sobre o objeto de cada prece e de lhe tornar mais compreensível o alcance, vão todas precedidas de uma instrução preliminar, de uma *espécie* de exposição de motivos, sob o título de *prefácio*.

I – PRECES GERAIS

Oração dominical

2. Prefácio – Os Espíritos recomendaram que, encabeçando esta coletânea, puséssemos a *Oração dominical*, não somente como prece, mas também como símbolo. De todas as preces, é a que eles colocam em primeiro lugar, seja porque procede do próprio Jesus (*Mateus*, 6:9 a 13), seja porque pode suprir a todas, conforme os pensamentos que se lhe conjuguem; é o mais perfeito modelo de concisão, verdadeira obra-prima de sublimidade na simplicidade. Com efeito, sob a mais singela forma, ela resume todos os deveres do homem para com Deus, para consigo mesmo e para com o próximo. Encerra uma profissão de fé, um ato de adoração e de submissão; o pedido das coisas necessárias à vida e o princípio da caridade. Quem a diga, em intenção de alguém, pede para este o que pediria para si.

Contudo, em virtude mesmo da sua brevidade, o sentido profundo que encerram as poucas palavras de que ela se compõe escapa à maioria das pessoas. Daí vem o dizerem-na, geralmente, sem que os pensamentos se detenham sobre as aplicações de cada uma de suas partes. Dizem-na como uma fórmula cuja eficácia se ache condicionada ao número de vezes que seja repetida. Ora, quase sempre esse é um dos números cabalísticos: três, sete ou nove, tomados à antiga crença supersticiosa na virtude dos números e de uso nas operações da magia.

Para preencher o que de vago a concisão desta prece deixa na mente, a cada uma de suas proposições aditamos, aconselhado pelos Espíritos e com a assistência deles, um comentário que lhes desenvolve o sentido e mostra as aplicações. Conforme, pois, as circunstâncias e o tempo de que disponha, poderá, aquele que ore, dizer a oração dominical, ou na sua forma simples, ou na desenvolvida.

3. Prece – I. *Pai nosso, que estás no Céu, santificado seja o teu nome!*

Cremos em ti, Senhor, porque tudo revela o teu poder e a tua bondade. A harmonia do Universo dá testemunho de uma sabedoria, de uma prudência e de uma previdência que ultrapassam todas as faculdades humanas. Em todas as obras da Criação, desde o raminho de erva minúscula e o pequenino inseto, até os astros que se movem no espaço, o nome se acha inscrito de um ser soberanamente grande e sábio. Por toda a parte se nos depara a prova de paternal solicitude. Cego, portanto, é aquele que te não reconhece nas tuas obras, orgulhoso aquele que te não glorifica e ingrato aquele que te não rende graças.

II. *Venha o teu reino!*

Senhor, deste aos homens Leis plenas de sabedoria e que lhes dariam a felicidade, se eles as

Capítulo 4

cumprissem. Com essas Leis, fariam reinar entre si a paz e a justiça e mutuamente se auxiliariam, em vez de se maltratarem, como o fazem. O forte sustentaria o fraco, em vez de o esmagar. Evitados seriam os males, que se geram dos excessos e dos abusos. Todas as misérias deste mundo provêm da violação de tuas leis, porquanto nenhuma infração delas deixa de ocasionar fatais consequências.

Deste ao bruto o instinto, que lhe traça o limite do necessário, e ele maquinalmente se conforma; ao homem, no entanto, além desse instinto, deste a inteligência e a razão; também lhe deste a liberdade de cumprir ou infringir aquelas das tuas leis que pessoalmente lhe concernem, isto é, a liberdade de escolher entre o bem e o mal, a fim de que tenha o mérito e a responsabilidade das suas ações.

Ninguém pode pretextar ignorância das tuas Leis, pois, com paternal previdência, quiseste que elas se gravassem na consciência de cada um, sem distinção de cultos, nem de nações. Se as violam, é porque as desprezam.

Dia virá em que, segundo a tua promessa, todos as praticarão. Desaparecido terá, então, a incredulidade. Todos te reconhecerão por soberano Senhor de todas as coisas, e o reinado das tuas Leis será o teu reino na Terra.

Digna-te, Senhor, de apressar-lhe o advento, outorgando aos homens a luz necessária, que os conduza ao caminho da verdade.

III. *Seja feita a tua vontade, assim na Terra como no Céu!*

Se a submissão é um dever do filho para com o pai, do inferior para com o seu superior, quão maior não deve ser a da criatura para com o seu Criador! Fazer a tua vontade, Senhor, é observar as tuas Leis e submeter-se, sem queixumes, aos teus decretos. O homem a ela se submeterá, quando compreender que és a fonte de toda a sabedoria e que sem ti ele nada pode. Fará, então, a tua vontade na Terra, como os eleitos a fazem no Céu.

IV. *Dá-nos o pão de cada dia!*

Dá-nos o alimento indispensável à sustentação das forças do corpo; mas dá-nos também o alimento espiritual para o desenvolvimento do nosso Espírito.

O bruto encontra a sua pastagem; o homem, porém, deve o sustento à sua própria atividade e aos recursos da sua inteligência, porque o criaste livre.

Tu lhe hás dito: "Tirarás da terra o alimento com o suor da tua fronte". Desse modo, fizeste do trabalho, para ele, uma obrigação, a fim de que exercitasse a inteligência na procura dos meios de prover às suas necessidades e ao seu bem-estar, uns mediante o labor manual, outros pelo labor intelectual. Sem o trabalho, ele se conservaria estacionário e não poderia aspirar à felicidade dos Espíritos superiores.

Ajudas o homem de boa vontade que em ti confia, pelo que concerne ao necessário; não, porém,

Capítulo 4

àquele que se compraz na ociosidade e desejara tudo obter sem esforço, nem àquele que busca o supérfluo.

Quantos e quantos sucumbem por culpa própria, pela sua incúria, pela sua imprevidência, ou pela sua ambição e por não terem querido contentar-se com o que lhes havias concedido! Esses são os artífices do seu infortúnio e carecem do direito de queixar-se, pois que são punidos naquilo em que pecaram. Mas nem a esses mesmos abandonas, porque és infinitamente misericordioso. As mãos lhes estendes para socorrê-los, desde que, como o filho pródigo, se voltem sinceramente para ti.

Antes de nos queixarmos da sorte, inquiramos de nós mesmos se ela não é obra nossa. A cada desgraça que nos chegue, cuidemos de saber se não teria estado em nossas mãos evitá-la. Consideremos também que Deus nos outorgou a inteligência para nos tirar do lameiro, e que de nós depende o modo de a utilizarmos.

Pois que à Lei do Trabalho se acha submetido o homem na Terra, dá-nos coragem e forças para obedecer a essa Lei. Dá-nos também a prudência, a previdência e a moderação, a fim de não perdermos o respectivo fruto.

Dá-nos, pois, Senhor, o pão de cada dia, isto é, os meios de adquirirmos, pelo trabalho, as coisas necessárias à vida, porquanto ninguém tem o direito de reclamar o supérfluo.

Se trabalhar nos é impossível, à tua Divina Providência nós confiamos.

Se está nos teus desígnios experimentar-nos pelas mais duras provações, malgrado os nossos esforços, aceitamo-las como justa expiação das faltas que tenhamos cometido nesta existência, ou noutra anterior, porquanto és justo. Sabemos que não há penas imerecidas e que jamais castigas sem causa.

Preserva-nos, ó meu Deus, de invejar os que possuem o que não temos, nem mesmo os que dispõem do supérfluo, ao passo que a nós nos falta o necessário. Perdoa-lhes, se esquecem a lei de caridade e de amor do próximo, que lhes ensinaste.

Afasta, igualmente, do nosso espírito a ideia de negar a tua justiça, ao notarmos a prosperidade do mau e a desgraça que cai por vezes sobre o homem de bem. Já sabemos, graças às novas luzes que te aprouve conceder-nos, que a tua justiça se cumpre sempre e a ninguém excetua; que a prosperidade material do mau é efêmera, como a sua existência corpórea, e que experimentará terríveis reveses, ao passo que eterno será o júbilo daquele que sofre resignado.

V. *Perdoa as nossas dívidas, como perdoamos aos que nos devem! — Perdoa as nossas ofensas, como perdoamos aos que nos ofenderam.*

Cada uma das nossas infrações às tuas Leis, Senhor, é uma ofensa que te fazemos e uma dívida que contraímos e que cedo ou tarde teremos de saldar. Rogamos-te que no-las perdoes pela tua Infinita Misericórdia, sob a promessa, que te fazemos, de empregarmos os maiores esforços para não contrair outras.

Capítulo 4

Tu nos impuseste por lei expressa a caridade; mas a caridade não consiste apenas em assistirmos os nossos semelhantes em suas necessidades; também consiste no esquecimento e no perdão das ofensas. Com que direito reclamaríamos a tua indulgência, se dela não usássemos para com aqueles que nos hão dado motivo de queixa?

Concede-nos, ó meu Deus, forças para apagar de nossa alma todo ressentimento, todo ódio e todo rancor. *Faze que a morte não nos surpreenda guardando nós no coração desejos de vingança.* Se te aprouver tirar-nos hoje mesmo deste mundo, faze que nos possamos apresentar, diante de ti, puros de toda animosidade, a exemplo do Cristo, cujos últimos pensamentos foram em prol dos seus algozes.

Constituem parte das nossas provas terrenas as perseguições que os maus nos infligem. Devemos, então, recebê-las sem nos queixarmos, como todas as outras provas, e não maldizer dos que, por suas maldades, nos rasgam o caminho da felicidade eterna, visto que nos disseste, por intermédio de Jesus: "Bem-aventurados os que sofrem pela justiça!" Bendigamos, portanto, a mão que nos fere e humilha, uma vez que as mortificações do corpo nos fortificam a alma e que seremos exalçados por efeito da nossa humildade. Bendito seja teu nome, Senhor, por nos teres ensinado que nossa sorte não está irrevogavelmente fixada depois da morte; que encontraremos, em outras existências, os meios de resgatar e de reparar nossas culpas passadas, de cumprir em nova vida o que não podemos fazer nesta, para nosso progresso.

Assim se explicam, afinal, todas as anomalias aparentes da vida. É a luz que se projeta sobre o nosso passado e o nosso futuro, sinal evidente da tua justiça soberana e da tua infinita bondade.

VI. *Não nos deixes entregues à tentação, mas livra-nos do mal!*

Dá-nos, Senhor, a força de resistir às sugestões dos Espíritos maus, que tentem desviar-nos da senda do bem, inspirando-nos maus pensamentos.

Mas somos Espíritos imperfeitos, encarnados na Terra para expiar nossas faltas e melhorar-nos. Em nós mesmos está a causa primária do mal e os maus Espíritos mais não fazem do que aproveitar os nossos pendores viciosos, em que nos entretêm para nos tentarem.

Cada imperfeição é uma porta aberta à influência deles, ao passo que são impotentes e renunciam a toda tentativa contra os seres perfeitos. É inútil tudo o que possamos fazer para afastá-los, se não lhes opusermos decidida e inabalável vontade de permanecer no bem e absoluta renunciação ao mal. Contra nós mesmos, pois, é que precisamos dirigir os nossos esforços e, se o fizermos, os maus Espíritos naturalmente se afastarão, porquanto o mal é que os atrai, ao passo que o bem os repele.

Senhor, ampara-nos em nossa fraqueza; inspira-nos, pelos nossos anjos guardiães e pelos bons Espíritos, a vontade de nos corrigirmos de todas as imperfeições a fim de obstarmos aos Espíritos maus o acesso à nossa alma.

O mal não é obra tua, Senhor, porquanto o manancial de todo o bem nada de mau pode gerar. Somos nós mesmos que criamos o mal, infringindo as tuas Leis e fazendo mau uso da liberdade que nos outorgaste. Quando os homens as cumprirmos, o mal desaparecerá da Terra, como já desapareceu de mundos mais adiantados que o nosso.

O mal não constitui para ninguém uma necessidade fatal e só parece irresistível aos que nele se comprazem. Desde que temos vontade para o fazer, também podemos ter a de praticar o bem, pelo que, ó meu Deus, pedimos a tua assistência e a dos Espíritos bons, a fim de resistirmos à tentação.

VII. *Assim seja.*

Praza-te, Senhor, que os nossos desejos se efetivem, mas curvamo-nos perante a tua sabedoria infinita. Que em todas as coisas que nos escapam à compreensão se faça a tua santa vontade e não a nossa, pois somente queres o nosso bem e melhor do que nós, sabes o que nos convém.

Dirigimos-te esta prece, ó Deus, por nós mesmos e também por todas as almas sofredoras, encarnadas e desencarnadas, pelos nossos amigos e inimigos, por todos os que solicitem a nossa assistência e, em particular, por N...

Para todos suplicamos a tua misericórdia e a tua bênção.

Nota – Aqui, podem formular-se os agradecimentos que se queiram dirigir a Deus e o que se deseje pedir para si mesmo ou para outrem.

Reuniões espíritas

4. Onde quer que se encontrem duas ou três pessoas reunidas em meu nome, eu com elas estarei (*Mateus*, 18:20).

5. Prefácio – Estarem reunidas, em nome de Jesus, duas, três ou mais pessoas, não quer dizer que basta se achem materialmente juntas. É preciso que o estejam espiritualmente, em comunhão de intentos e de ideias, para o bem. Jesus, então, ou os Espíritos puros, que o representam, se encontrarão na assembleia. O Espiritismo nos faz compreender como podem os Espíritos achar-se entre nós. Compareçam com seu corpo fluídico ou espiritual e sob a aparência que nos levaria a reconhecê-los, se se tornassem visíveis. Quanto mais elevados são na hierarquia espiritual, tanto maior é neles o poder de irradiação. É assim que possuem o dom da ubiquidade e que podem estar simultaneamente em muitos lugares, bastando para isso que enviem a cada um desses lugares um raio de suas mentes.

Dizendo as palavras acima transcritas, quis Jesus revelar o efeito da união e da fraternidade. O que o atrai não é o maior ou menor número de pessoas que se reúnam, pois, em vez de duas ou três, houvera ele podido dizer dez ou vinte, mas o sentimento

Capítulo 4

de caridade que reciprocamente as anime. Ora, para isso, basta que elas sejam duas. Contudo, se essas duas pessoas oram cada uma por seu lado, embora dirijam-se ambas a Jesus, não há entre elas comunhão de pensamentos, sobretudo se ali não estão sob o influxo de um sentimento de mútua benevolência. Se se olham com prevenção, com ódio, inveja ou ciúme, as correntes fluídicas de seus pensamentos, longe de se conjugarem por um comum impulso de simpatia, repelem-se. Nesse caso, não estarão reunidas em nome de Jesus, que, então, não passa de pretexto para a reunião, não o tendo esta por verdadeiro motivo.

Isso não significa que Ele se mostre surdo ao que lhe diga uma única pessoa; e se Ele não disse: "Atenderei a todo aquele que me chamar", é que, antes de tudo, exige o amor do próximo; e desse amor mais provas podem dar-se quando são muitos os que exoram, com exclusão de todo sentimento pessoal, e não um apenas. Segue-se que, se, numa assembleia numerosa, somente duas ou três pessoas se unem de coração, pelo sentimento de verdadeira caridade, enquanto as outras se isolam e se concentram em pensamentos egoísticos ou mundanos, Ele estará com as primeiras e não com as outras. Não é, pois, a simultaneidade das palavras, dos cânticos ou dos atos exteriores que constitui a reunião em nome de Jesus, mas a comunhão de pensamentos, em concordância com o espírito de caridade que Ele personifica.

Tal o caráter de que devem revestir-se as reuniões espíritas sérias, aquelas em que sinceramente se deseja o concurso dos bons Espíritos.

6. Prece (Para o começo da reunião) — Ao Senhor Deus onipotente suplicamos que envie, para nos assistirem, Espíritos bons; que afaste os que nos possam induzir em erro e nos conceda a luz necessária para distinguirmos da impostura a verdade.

Afasta, igualmente, Senhor, os Espíritos malfazejos, encarnados e desencarnados, que tentem lançar entre nós a discórdia e desviar-nos da caridade e do amor do próximo. Se procurarem alguns deles introduzir-se aqui, faze não achem acesso no coração de nenhum de nós.

Bons Espíritos que vos dignais de vir instruir-nos, tornai-nos dóceis aos vossos conselhos; preservai-nos de toda ideia de egoísmo, orgulho, inveja e ciúme; inspirai-nos indulgência e benevolência para com os nossos semelhantes, presentes e ausentes, amigos ou inimigos; fazei, em suma, que, pelos sentimentos de que nos achemos animados, reconheçamos a vossa influência salutar.

Dai aos médiuns que escolherdes para transmissores dos vossos ensinamentos, consciência do mandato que lhes é conferido e da gravidade do ato que vão praticar, a fim de que o façam com o fervor e o recolhimento precisos.

Se, em nossa reunião, estiverem pessoas que tenham vindo impelidas por sentimentos outros que

não os do bem, abri-lhes os olhos à luz e perdoai-
-lhes, como nós lhes perdoamos, se trouxerem malévolas intenções.

Pedimos, especialmente, ao Espírito N..., nosso guia espiritual, que nos assista e por nós vele.

7. (Para o fim da reunião) — Agradecemos aos bons Espíritos que se dignaram de comunicar-se conosco e lhes rogamos que nos ajudem a pôr em prática as instruções que nos deram e façam que, ao sair daqui, cada um de nós se sinta fortalecido para a prática do bem e do amor do próximo.

Também desejamos que as suas instruções aproveitem aos Espíritos sofredores, ignorantes ou viciosos, que tenham participado da nossa reunião e para os quais imploramos a Misericórdia de Deus.

Para os médiuns

8. Nos últimos tempos, diz o Senhor, difundirei do meu Espírito sobre toda carne; vossos filhos e filhas profetizarão; vossos jovens terão visões e vossos velhos, sonhos. Nesses dias, difundirei do meu Espírito sobre os meus servidores e servidoras, e eles profetizarão (*Atos*, 2:17 e 18).

9. Prefácio – Quis o Senhor que a luz se fizesse para todos os homens e que em toda a parte penetrasse a voz dos Espíritos, a fim de que cada um pudesse obter a prova da imortalidade. Com esse objetivo que os Espíritos se manifestam hoje em todos os pontos da Terra e a mediunidade se revela em

pessoas de todas as idades e de todas as condições, nos homens como nas mulheres, nas crianças como nos velhos. É um dos sinais de que chegaram os tempos preditos.

Para conhecer as coisas do mundo visível e descobrir os segredos da Natureza material, outorgou Deus ao homem a vista corpórea, os sentidos e instrumentos especiais. Com o telescópio, ele mergulha o olhar nas profundezas do espaço, e, com o microscópio, descobriu o mundo dos infinitamente pequenos. Para penetrar no mundo invisível, deu-lhe a mediunidade.

Os médiuns são os intérpretes incumbidos de transmitir aos homens os ensinos dos Espíritos; ou, melhor, *são os órgãos materiais de que se servem os Espíritos para se expressarem aos homens por maneira inteligível.* Santa é a missão que desempenham, visto ter por fim rasgar os horizontes da vida eterna.

Os Espíritos vêm instruir o homem sobre seus destinos, a fim de o reconduzirem à senda do bem, e não para o pouparem ao trabalho material que lhe cumpre executar neste mundo, tendo por meta o seu adiantamento, nem para lhe favorecerem a ambição e a cupidez. Aí têm os médiuns o de que devem compenetrar-se bem, para não fazerem mau uso de suas faculdades. Aquele que, médium, compreende a gravidade do mandato de que se acha investido, religiosamente o desempenha. Sua consciência lhe profligaria, como ato sacrílego, utilizar por divertimento e distração, *para si ou para os outros,* faculdades que lhe são concedidas para fins sobremaneira sérios e que o põem em comunicação com os seres de Além-Túmulo.

Como intérpretes do ensino dos Espíritos, têm os médiuns de desempenhar importante papel na transformação moral que se opera. Os serviços que podem prestar guardam proporção com a boa diretriz que imprimam às suas faculdades, porquanto os que enveredam por mau caminho são mais nocivos do que úteis à causa do Espiritismo. Pela má impressão que produzem, mais de uma conversão retardam. Terão, por isso mesmo, de dar contas do uso que hajam feito de um dom que lhes foi concedido para o bem de seus semelhantes.

O médium que queira gozar sempre da assistência dos bons Espíritos tem de trabalhar por melhorar-se. O que deseja que a sua faculdade se desenvolva e engrandeça tem de se engrandecer moralmente e de se abster de tudo o que possa concorrer para desviá-la do seu fim providencial.

Se, às vezes, os Espíritos bons se servem de médiuns imperfeitos, é para dar bons conselhos, com os quais procuram fazê-los retomar a estrada do bem. Se, porém, topam com corações endurecidos e se suas advertências não são escutadas, afastam-se, ficando livre o campo aos maus.

Prova a experiência que, da parte dos que não aproveitam os conselhos que recebem dos bons

Espíritos, as comunicações, depois de terem revelado certo brilho durante algum tempo, degeneram pouco a pouco e acabam caindo no erro, na vertigem, ou no ridículo, sinal incontestável do afastamento dos bons Espíritos.

Conseguir a assistência destes, afastar os Espíritos levianos e mentirosos, tal deve ser a meta para onde convirjam os esforços constantes de todos os médiuns sérios. Sem isso, a mediunidade se torna uma faculdade estéril, capaz mesmo de redundar em prejuízo daquele que a possua, pois pode degenerar em perigosa obsessão.

O médium que compreende o seu dever, longe de se orgulhar de uma faculdade que não lhe pertence, visto que lhe pode ser retirada, atribui a Deus as boas coisas que obtém. Se as suas comunicações receberem elogios, não se envaidecerá com isso, porque as sabe independentes do seu mérito pessoal; agradece a Deus o haver consentido que por seu intermédio bons Espíritos se manifestassem. Se dão lugar à crítica, não se ofende, porque não são obra do seu próprio espírito. Ao contrário, reconhece no seu íntimo que não foi um instrumento bom e que não dispõe de todas as qualidades necessárias a obstar a imiscuência dos Espíritos maus. Cuida, então, de adquirir essas qualidades e suplica, por meio da prece, as forças que lhe faltam.

10. Prece – Deus onipotente, permite que os bons Espíritos me assistam na comunicação que

solicito. Preserva-me da presunção de me julgar resguardado dos Espíritos maus; do orgulho que me induza em erro sobre o valor do que obtenha; de todo sentimento oposto à caridade para com outros médiuns. Se cair em erro, inspira a alguém a ideia de me advertir disso e a mim a humildade que me faça aceitar reconhecido a crítica e tomar como endereçados a mim mesmo, e não aos outros, os conselhos que os bons Espíritos me queiram ditar.

Se for tentado a cometer abuso, no que quer que seja, ou a me envaidecer da faculdade que te aprouve conceder-me, peço que ma retires, de preferência a consentires seja ela desviada do seu objetivo providencial, que é o bem de todos e o meu próprio avanço moral.

II – PRECES POR AQUELE MESMO QUE ORA

Aos anjos guardiães e aos Espíritos protetores

11. Prefácio – Todos temos, ligado a nós, desde o nosso nascimento, um Espírito bom, que nos tomou sob a sua proteção. Desempenha, junto de nós, a missão de um pai para com seu filho: a de nos conduzir pelo caminho do bem e do progresso, através das provações da vida. Sente-se feliz, quando correspondemos à sua solicitude; sofre, quando nos vê sucumbir.

Seu nome pouco importa, pois bem pode dar-se que não tenha nome conhecido na Terra.

Invocamo-lo, então, como nosso anjo guardião, nosso bom gênio. Podemos mesmo invocá-lo sob o nome de qualquer Espírito superior, que mais viva e particular simpatia nos inspire.

Além do anjo guardião, que é sempre um Espírito superior, temos Espíritos protetores que, embora menos elevados, não são menos bons e magnânimos. Contamo-los entre amigos, ou parentes, ou, até, entre pessoas que não conhecemos na existência atual. Eles nos assistem com seus conselhos e, não raro, intervindo nos atos da nossa vida.

Espíritos simpáticos são os que se nos ligam por uma certa analogia de gostos e pendores. Podem ser bons ou maus, conforme a natureza das inclinações nossas que os atraiam.

Os Espíritos sedutores se esforçam por nos afastar das veredas do bem, sugerindo-nos maus pensamentos. Aproveitam-se de todas as nossas fraquezas, como de outras tantas portas abertas, que lhes facultam acesso à nossa alma. Alguns há que se nos aferram, como a uma presa, mas que *se afastam, reconhecendo-se impotentes para lutar contra a nossa vontade.*

Deus, em nosso anjo guardião, nos deu um guia principal e superior e, nos Espíritos protetores e familiares, guias secundários. Fora erro, porém, acreditarmos que *forçosamente*, temos um mau gênio ao nosso lado, para contrabalançar as boas influências que sobre nós se exerçam. Os maus Espíritos acorrem *voluntariamente*, desde que achem meio de assumir predomínio sobre nós, ou pela nossa fraqueza, ou pela negligência que ponhamos em seguir as inspirações dos bons Espíritos. Somos nós, portanto, que os atraímos. Resulta desse fato que jamais nos encontramos privados da assistência dos bons Espíritos e que de nós depende o afastamento dos maus. Sendo, por suas imperfeições, a causa primária das misérias que o afligem, o homem é, as mais das vezes, o seu próprio mau gênio.

A prece aos anjos guardiães e aos Espíritos protetores deve ter por objeto solicitar-lhes a intercessão junto de Deus, pedir-lhes a força de resistir às más sugestões e que nos assistam nas contingências da vida.

12. Prece – Espíritos esclarecidos e benevolentes, mensageiros de Deus, que tendes por missão assistir os homens e conduzi-los pelo bom caminho, sustentai-me nas provas desta vida; dai-me a força de suportá-las sem queixumes; livrai-me dos maus pensamentos e fazei que eu não dê entrada a nenhum mau Espírito que queira induzir-me ao mal. Esclarecei a minha consciência com relação aos meus defeitos e tirai-me de sobre os olhos o véu do orgulho, capaz de impedir que eu os perceba e os confesse a mim mesmo.

A ti, sobretudo, N..., meu anjo guardião, que mais particularmente velas por mim, e a todos vós, Espíritos protetores, que por mim vos interessais, peço fazerdes que me torne digno da vossa proteção. Conheceis as minhas necessidades; sejam elas atendidas, segundo a Vontade de Deus.

13. (Outra) – Meu Deus, permite que os bons Espíritos que me cercam venham em meu auxílio, quando me achar em sofrimento, e que me sustentem se desfalecer. Faze, Senhor, que eles me incutam fé, esperança e caridade; que sejam para mim um amparo, uma inspiração e um testemunho da tua misericórdia. Faze, enfim, que neles encontre eu a força que me falta nas provas da vida e, para resistir às inspirações do mal, a fé que salva e o amor que consola.

14. (Outra) – Espíritos bem-amados, anjos guardiães que, com a permissão de Deus, pela sua infinita misericórdia, velais sobre os homens, sede nossos protetores nas provas da vida terrena. Dai-nos força, coragem e resignação; inspirai-nos tudo o que é bom, detende-nos no declive do mal; que a vossa bondosa influência nos penetre a alma; fazei sintamos que um amigo devotado está ao nosso lado, que vê os nossos sofrimentos e partilha das nossas alegrias.

E tu, meu bom anjo, não me abandones. Necessito de toda a tua proteção, para suportar com fé e amor as provas que praza a Deus enviar-me.

Para afastar os maus Espíritos

15. Ai de vós, escribas e fariseus hipócritas, que limpais por fora o copo e o prato e estais, por dentro, cheios de rapinas e impurezas. Fariseus cegos, limpai primeiramente o interior do copo e do prato, a fim de que também o exterior fique limpo. Ai de vós, escribas e fariseus hipócritas, que vos assemelhais a

sepulcros branqueados, que por fora parecem belos aos olhos dos homens, mas que, por dentro, estão cheios de toda espécie de podridões. Assim, pelo exterior, pareceis justos aos olhos dos homens, mas, por dentro, estais cheios de hipocrisia e de iniquidades (*Mateus*, 23:25 a 28).

16. Prefácio – Os maus Espíritos somente procuram os lugares onde encontrem possibilidades de dar expansão à sua perversidade. Para os afastar, não basta pedir-lhes, nem mesmo ordenar-lhes que se vão; é preciso que o homem elimine de si o que os atrai. Os Espíritos maus farejam as chagas da alma, como as moscas farejam as chagas do corpo. Assim como se limpa o corpo, para evitar a bicheira, também se deve limpar de suas impurezas a alma, para evitar os maus Espíritos. Vivendo num mundo onde estes pululam, nem sempre as boas qualidades do coração nos põem a salvo de suas tentativas; dão-nos, entretanto, forças para que lhes resistamos.

17. Prece – Em nome de Deus Todo-Poderoso, afastem-se de mim os maus Espíritos, servindo-me os bons de antemural contra eles.

Espíritos malfazejos, que inspirais maus pensamentos aos homens; Espíritos velhacos e mentirosos, que os enganais; Espíritos zombeteiros, que vos divertis com a credulidade deles, eu vos repilo com todas as forças de minha alma e fecho os ouvidos às vossas sugestões; mas imploro para vós a Misericórdia de Deus.

Bons Espíritos que vos dignais de assistir-me, dai-me a força de resistir à influência dos Espíritos maus e as luzes de que necessito para não ser vítima de suas tramas. Preservai-me do orgulho e da presunção; isentai o meu coração do ciúme, do ódio, da malevolência, de todo sentimento contrário à caridade, que são outras tantas portas abertas ao Espírito do mal.

Para pedir a corrigenda de um defeito

18. Prefácio – Os nossos maus instintos resultam da imperfeição do nosso próprio espírito e não da nossa organização física; a não ser assim, o homem se acharia isento de toda espécie de responsabilidade. De nós depende a nossa melhoria, pois todo aquele que se acha no gozo de suas faculdades tem, com relação a todas as coisas, a liberdade de fazer ou de não fazer. Para praticar o bem, de nada mais precisa senão do querer.

19. Prece – Deste-me, ó meu Deus, a inteligência necessária a distinguir o que é bem do que é mal. Ora, do momento em que reconheço que uma coisa é do mal, torno-me culpado, se não me esforçar por lhe resistir.

Preserva-me do orgulho que me poderia impedir de perceber os meus defeitos e dos maus Espíritos que me possam incitar a perseverar neles.

Entre as minhas imperfeições, reconheço que sou particularmente propenso a...; e, se não resisto a esse pendor, é porque contraí o hábito de a ele ceder.

Capítulo 4

Não me criaste culpado, pois que és justo, mas com igual aptidão para o bem e para o mal; se tomei o mau caminho, foi por efeito do meu livre-arbítrio. Todavia, pela mesma razão que tive a liberdade de fazer o mal, tenho a de fazer o bem e, conseguintemente, a de mudar de caminho.

Meus atuais defeitos são restos das imperfeições que conservei das minhas precedentes existências; são o meu pecado original, de que me posso libertar pela ação da minha vontade e com a ajuda dos Espíritos bons.

Bons Espíritos que me protegeis, e sobretudo tu, meu anjo da guarda, dai-me forças para resistir às más sugestões e para sair vitorioso da luta.

Os defeitos são barreiras que nos separam de Deus e cada um que eu suprima será um passo dado na senda do progresso que dele me há de aproximar.

O Senhor, em sua infinita misericórdia, houve por bem conceder-me a existência atual, para que servisse ao meu adiantamento. Bons Espíritos, ajudai-me a aproveitá-la, para que me não fique perdida e para que, quando ao Senhor aprouver ma retirar, eu dela saia melhor do que entrei.

Para pedir a força de resistir a uma tentação

20. Prefácio – Duas origens pode ter qualquer pensamento mau: a própria imperfeição de nossa alma, ou uma funesta influência que sobre ela se

exerça. Neste último caso, há sempre indício de uma fraqueza que nos sujeita a receber essa influência; há, por conseguinte, indício de uma alma imperfeita. De sorte que aquele que venha a falir não poderá invocar por escusa a influência de um Espírito estranho, visto que *esse Espírito não o teria arrastado ao mal, se o considerasse inacessível à sedução.*

Quando surge em nós um mau pensamento, podemos, pois, imaginar um Espírito maléfico a nos atrair para o mal, mas a cuja atração podemos ceder ou resistir, como se se tratara das solicitações de uma pessoa viva. Devemos, ao mesmo tempo, imaginar que, por seu lado, o nosso anjo guardião, ou Espírito protetor, combate em nós a má influência e espera com ansiedade *a decisão que tomemos*. A nossa hesitação em praticar o mal é a voz do Espírito bom, a se fazer ouvir pela nossa consciência.

Reconhece-se que um pensamento é mau, quando se afasta da caridade, que constitui a base da verdadeira moral, quando tem por princípio o orgulho, a vaidade, ou o egoísmo; quando a sua realização pode causar qualquer prejuízo a outrem; quando, enfim, nos induz a fazer aos outros o que não quereríamos que nos fizessem.

21. Prece – Deus Todo-Poderoso, não me deixes sucumbir à tentação que me impele a falir. Espíritos benfazejos, que me protegeis, afastai de mim este mau pensamento e dai-me a força de resistir à sugestão do mal. Se eu sucumbir, merecerei

Capítulo 4

expiar a minha falta nesta vida e na outra, porque tenho a liberdade de escolher.

Ação de graças pela vitória
alcançada sobre uma tentação

22. Prefácio – Aquele que resistiu a uma tentação deve-o à assistência dos bons Espíritos, a cuja atendeu. Cumpre-lhe agradecê-lo a Deus e ao seu anjo da guarda.

23. Prece – Meu Deus, agradeço-te o haveres permitido eu saísse vitorioso da luta que acabo de sustentar contra o mal. Faze que essa vitória me dê a força de resistir a novas tentações.

E a ti, meu anjo guardião, agradeço a assistência com que me valeste. Possa a minha submissão aos teus conselhos granjear-me de novo a tua proteção!

Para pedir um conselho

24. Prefácio – Quando estamos indecisos sobre o fazer ou não fazer uma coisa, devemos antes de tudo propor a nós mesmos as questões seguintes:

1ª) Aquilo que eu hesito em fazer pode acarretar qualquer prejuízo a outrem?

2ª) Pode ser proveitoso a alguém?

3ª) Se agissem assim comigo, ficaria eu satisfeito?

Se o que pensamos fazer, somente a nós interessa, lícito nos é pesar as vantagens e os inconvenientes pessoais que nos possam advir.

Se interessa a outrem e se, resultando em bem para um, redundará em mal para outro, cumpre, igualmente, pesemos a soma de bem ou de mal que se produzirá, para nos decidirmos a agir, ou a abster-nos.

Enfim, mesmo se tratando das melhores coisas, importa ainda consideremos a oportunidade e as circunstâncias concomitantes, porquanto uma coisa boa, em si mesma, pode dar maus resultados em mãos inábeis, se não for conduzida com prudência e circunspecção. Antes de empreendê-la, convém consultemos as nossas forças e meios de execução.

Em todos os casos, sempre podemos solicitar a assistência dos nossos Espíritos protetores, lembrados desta sábia advertência: *Na dúvida, abstém-te*.

25. Prece – Em nome de Deus Todo-Poderoso, inspirai-me, bons Espíritos que me protegeis, a melhor resolução a ser tomada na incerteza em que me encontro. Encaminhai meu pensamento para o bem e livrai-me da influência dos que tentarem transviar-me.

Nas aflições da vida

26. Prefácio – Podemos pedir a Deus favores terrenos e Ele no-los pode conceder, quando tenham um fim útil e sério. Mas como a utilidade das coisas sempre a julgamos do nosso ponto de vista e como as nossas vistas se circunscrevem ao presente, nem sempre vemos o lado mau do que desejamos. Deus, que vê muito melhor do que nós e que só o nosso bem quer,

pode recusar o que peçamos, como um pai nega ao filho o que lhe seja prejudicial. Se não nos é concedido o que pedimos, não devemos por isso entregar-nos ao desânimo; devemos pensar, ao contrário, que a privação do que desejamos nos é imposta como prova, ou como expiação, e que a nossa recompensa será proporcionada à resignação com que a houvermos suportado.

27. Prece – Deus Onipotente, que vês as nossas misérias, digna-te de escutar, benevolente, a súplica que neste momento te dirijo. Se é desarrazoado o meu pedido, perdoa-me; se é justo e conveniente segundo as tuas vistas, que os bons Espíritos, executores das tuas vontades, venham em meu auxílio para que ele seja satisfeito.

Como quer que seja, meu Deus, faça-se a tua vontade. Se os meus desejos não forem atendidos, é que está nos teus desígnios experimentar-me e eu me submeto sem me queixar. Faze que por isso nenhum desânimo me assalte e que nem a minha fé nem a minha resignação sofram qualquer abalo.

(Formular o pedido).

Ação de graças por um favor obtido

28. Prefácio – Não se devem considerar como sucessos ditosos apenas o que seja de grande importância. Muitas vezes, coisas aparentemente insignificantes são as que mais influem em nosso destino. O homem facilmente esquece o bem, para, de preferência, lembrar-se do que o aflige. Se registrássemos, dia

a dia, os benefícios de que somos objeto, sem os havermos pedido, ficaríamos, com frequência, espantados de termos recebido tantos e tantos que se nos varreram da memória, e nos sentiríamos humilhados com a nossa ingratidão.

Todas as noites, ao elevarmos a Deus a nossa alma, devemos recordar em nosso íntimo os favores que Ele nos fez durante o dia e agradecer-lhos. Sobretudo no momento mesmo em que experimentamos o efeito da sua bondade e da sua proteção, é que nos cumpre, por um movimento espontâneo, testemunhar-lhe a nossa gratidão. Basta, para isso, que lhe dirijamos um pensamento, atribuindo-lhe o benefício, sem que se faça mister interrompamos o nosso trabalho.

Não consistem os benefícios de Deus unicamente em coisas materiais. Devemos também agradecer-lhe as boas ideias, as felizes inspirações que recebemos. Ao passo que o egoísta atribui tudo isso aos seus méritos pessoais e o incrédulo ao acaso, aquele que tem fé rende graças a Deus e aos bons Espíritos. São desnecessárias, para esse efeito, longas frases. *Obrigado, meu Deus, pelo bom pensamento que me foi inspirado*, diz mais do que muitas palavras. O impulso espontâneo, que nos faz atribuir a Deus o que de bom nos sucede, dá testemunho de um ato de reconhecimento e de humildade, que nos granjeia a simpatia dos bons Espíritos.

29. Prece – Deus infinitamente bom, que o teu nome seja bendito pelos benefícios que me hás

concedido. Indigno eu seria se os atribuísse ao acaso dos acontecimentos, ou ao meu próprio mérito.

Bons Espíritos, que fostes os executores das Vontades de Deus, agradeço-vos e especialmente a ti, meu anjo guardião. Afastai de mim a ideia de orgulhar-me do que recebi e de não o aproveitar somente para o bem.

Agradeço-vos, em particular,...

Ato de submissão e de resignação

30. Prefácio – Quando um motivo de aflição nos advém, se lhe procurarmos a causa, amiúde reconheceremos estar numa imprudência ou imprevidência nossa, ou, quando não, em um ato anterior. Em qualquer desses casos, só de nós mesmos nos devemos queixar. Se a causa de um infortúnio independe completamente de qualquer ação nossa, é ou uma prova para a existência atual, ou expiação de falta de uma existência anterior, caso, este último, em que, pela natureza da expiação, poderemos conhecer a natureza da falta, visto que somos sempre punidos por aquilo em que pecamos.

No que nos aflige, só vemos, em geral, o presente e não as ulteriores consequências favoráveis que possa ter a nossa aflição. Muitas vezes, o bem é a consequência de um mal passageiro, como a cura de uma enfermidade é o resultado dos meios dolorosos que se empregaram para combatê-la. Em todos os casos devemos submeter-nos à Vontade de Deus, suportar com coragem as tribulações da vida, se queremos que elas nos sejam levadas em conta e que se nos possam aplicar estas palavras do Cristo: "Bem-aventurados os que sofrem".

31. Prece – Meu Deus, és soberanamente justo; todo sofrimento, neste mundo, há, pois, de ter a sua causa e a sua utilidade. Aceito a aflição que acabo de experimentar, como expiação de minhas faltas passadas e como prova para o futuro.

Bons Espíritos que me protegeis, dai-me forças para suportá-la sem lamentos. Fazei que ela me seja um aviso salutar; que me acresça a experiência; que abata em mim o orgulho, a ambição, a tola vaidade e o egoísmo, e que contribua assim para o meu adiantamento.

32 (Outra) – Sinto, ó meu Deus, necessidade de te pedir me dês forças para suportar as provações que te aprouve destinar-me. Permite que a luz se faça bastante viva em meu espírito, para que eu aprecie toda a extensão de um amor que me aflige porque me quer salvar. Submeto-me resignado, ó meu Deus; mas a criatura é tão fraca, que temo sucumbir, se me não amparares. Não me abandones, Senhor, que sem ti nada posso.

33 (Outra) – A ti dirigi o meu olhar, ó Eterno, e me senti fortalecido. És a minha força, não me abandones. Ó meu Deus, sinto-me esmagado sob o peso das minhas iniquidades. Ajuda-me. Conheces a fraqueza da minha carne, não desvies de mim o teu olhar!

Capítulo 4

Ardente sede me devora; faze brotar a fonte da água viva onde eu me dessedente. Que a minha boca só se abra para te entoar louvores e não para soltar queixas nas aflições da minha vida. Sou fraco, Senhor, mas o teu amor me sustentará.

Ó Eterno, só tu és grande, só tu és o fim e o objetivo da minha vida! Bendito seja o teu nome, se me fazes sofrer, porquanto és o Senhor e eu o servo infiel. Curvarei a fronte sem me queixar, porquanto só tu és grande, só tu és a meta.

Num perigo iminente

34. Prefácio – Pelos perigos que corremos, Deus nos adverte da nossa fraqueza e da fragilidade da nossa existência. Mostra-nos que entre suas mãos está a nossa vida e que ela se acha presa por um fio que se pode romper no momento em que menos o esperamos. Sob esse aspecto, não há privilégio para ninguém, pois que às mesmas alternativas se encontram sujeitos assim o grande, como o pequeno.

Se examinarmos a natureza e as consequências do perigo, veremos que estas, as mais das vezes, se se verificassem, teriam sido a punição de uma falta cometida, ou da *falta do cumprimento de um dever*.

35. Prece – Deus Todo-Poderoso, e tu, meu anjo guardião, socorrei-me! Se tenho de sucumbir, que a Vontade de Deus se cumpra. Se devo ser salvo, que o restante da minha vida repare o mal que eu haja feito e do qual me arrependo.

Ação de graças por haver escapado a um perigo

36. Prefácio – Pelo perigo que tenhamos corrido, mostra-nos Deus que, de um momento para outro, podemos ser chamados a prestar contas do modo por que utilizamos a vida. Avisa-nos, assim, que devemos tomar tento e emendar-nos.

37. Prece – Meu Deus, meu anjo da guarda, agradeço-vos o socorro que me proporcionastes no perigo de que estive ameaçado. Seja para mim um aviso esse perigo e me esclareça sobre as faltas que me hajam colocado sob a sua ameaça. Compreendo, Senhor, que nas tuas mãos está a minha vida, e que ma podes tirar quando te apraza. Inspira-me, por intermédio dos bons Espíritos que me assistem, o propósito de empregar utilmente o tempo que ainda me concederes de vida neste mundo.

Meu anjo guardião, firma-me na resolução que tomo de reparar os meus erros e de fazer todo o bem que esteja ao meu alcance, a fim de chegar menos onerado de imperfeições ao mundo dos Espíritos, quando Deus determine o meu regresso para lá.

À hora de dormir

38. Prefácio – O sono tem por fim dar repouso ao corpo; o Espírito, porém, não precisa de repousar. Enquanto os sentidos físicos se acham entorpecidos, a alma se desprende, em parte, da matéria e entra no

Capítulo 4

gozo das faculdades do Espírito. O sono foi dado ao homem para reparação das forças orgânicas e também para a das forças morais. Enquanto o corpo recupera os elementos que perdeu por efeito da atividade da vigília, o Espírito vai retemperar-se entre os outros Espíritos. Haure, no que vê, no que ouve e nos conselhos que lhe dão, ideias que, ao despertar, lhe surgem em estado de intuição. É a volta temporária do exilado à sua verdadeira pátria. É o prisioneiro restituído por momentos à liberdade.

Mas, como se dá com o presidiário perverso, acontece que nem sempre o Espírito aproveita dessa hora de liberdade para seu adiantamento. Se conserva instintos maus, em vez de procurar a companhia de Espíritos bons, busca a de seus iguais e vai visitar os lugares onde possa dar livre curso aos seus pendores.

Eleve, pois, aquele que se ache compenetrado desta verdade, o seu pensamento a Deus, quando sinta aproximar-se o sono, e peça o conselho dos bons Espíritos e de todos cuja memória lhe seja cara, a fim de que se lhe venham juntar, nos curtos instantes de liberdade que lhe são concedidos, e, ao despertar, sentir-se-á mais forte contra o mal, mais corajoso diante da adversidade.

39. Prece – Minha alma vai estar por alguns instantes com os outros Espíritos. Venham os bons ajudar-me com seus conselhos. Faze, meu anjo guardião, que, ao despertar, eu conserve durável e salutar impressão desse convívio.

Prevendo próxima a morte

40. Prefácio – A fé no futuro, a orientação do pensamento, durante a vida, para os destinos vindouros, favorecem e aceleram o desligamento do Espírito, por enfraquecerem os laços que o prendem ao corpo, tanto que, frequentemente, a vida corpórea ainda se não extinguiu de todo, e a alma, impaciente, já alçou o voo para a imensidade. Ao contrário, no homem que concentra nas coisas materiais todos os seus cuidados, aqueles laços são mais tenazes, *penosa e dolorosa é a separação* e cheio de perturbação e ansiedade o despertar no Além-Túmulo.

41. Prece – Meu Deus, creio em ti e na tua bondade infinita e, por isso mesmo, não posso crer hajas dado ao homem a inteligência, que lhe faculta conhecer-te, e a aspiração pelo futuro, para o mergulhares no nada.

Creio que o meu corpo é apenas o envoltório perecível de minha alma e que, quando eu tenha deixado de viver, acordarei no mundo dos Espíritos.

Deus Todo-Poderoso, sinto se rompem os laços que me prendem a alma ao corpo e que dentro em pouco irei prestar contas do uso que fiz da vida que me foge.

Vou experimentar as consequências do bem e do mal que pratiquei. Lá não haverá ilusões, nem subterfúgios possíveis. Diante de mim vai desenrolar-se todo o meu passado e serei julgado segundo as minhas obras.

Capítulo 4

Nada levarei dos bens da Terra. Honras, riquezas, satisfações da vaidade e do orgulho, tudo, enfim, que é peculiar ao corpo permanecerá neste mundo. Nem a mais mínima parcela de todas essas coisas me acompanhará, nem me será de utilidade alguma no mundo dos Espíritos. Apenas levarei comigo o que pertence à alma, isto é, as boas e as más qualidades, para serem pesadas na balança da mais rigorosa justiça. E tanto maior severidade haverá no meu julgamento, quanto maior número de ocasiões para fazer o bem, que não fiz, me tenha proporcionado a posição que ocupei na Terra.

Deus de misericórdia, que o meu arrependimento te chegue aos pés! Digna-te de lançar sobre mim o manto da tua indulgência.

Se te aprouver prolongar a minha existência, seja esse prolongamento empregado em reparar, tanto quanto em mim esteja, o mal que eu tenha praticado. Se soou, sem dilação possível, a minha hora, levo comigo o consolador pensamento de que me será permitido redimir-me, por meio de novas provas, a fim de merecer um dia a felicidade dos eleitos.

Se não me for dado gozar imediatamente dessa felicidade sem mescla, partilha tão só do justo por excelência, sei que me não é defesa para sempre a esperança e que, pelo trabalho, alcançarei o fim, mais tarde ou mais cedo, conforme os meus esforços.

Sei que próximos de mim, para me receberem, estão Espíritos bons e o meu anjo da guarda, aos quais dentro em pouco verei, como eles me veem. Sei que, se o tiver merecido, encontrarei de novo aqueles a quem amei na Terra e que aqueles que aqui deixo irão juntar-se a mim, que um dia estaremos todos reunidos para sempre e que, enquanto esse dia não chegar, poderei vir visitá-los.

Sei também que vou encontrar aqueles a quem ofendi. Possam eles perdoar-me o que tenham a reprochar-me: o meu orgulho, a minha dureza, minhas injustiças, a fim de que a presença deles não me acabrunhe de vergonha!

Perdoo aos que me tenham feito ou querido fazer mal; nenhum rancor contra eles alimento e peço-te, meu Deus, que lhes perdoes.

Senhor, dá-me forças para deixar sem pena os prazeres grosseiros deste mundo, que nada são em confronto com as alegrias sãs e puras do mundo em que vou penetrar e onde, para o justo, não há mais tormentos, nem sofrimentos, nem misérias, onde somente o culpado sofre, mas tendo a confortá-lo a esperança.

A vós, bons Espíritos, e a ti, meu anjo guardião, suplico que me não deixeis falir neste momento supremo. Fazei que a luz divina brilhe aos meus olhos, a fim de que a minha fé se reanime, se vier a abalar-se.

Capítulo 4

III – PRECES POR OUTREM

Por alguém que esteja em aflição

42. Prefácio – Se é do interesse do aflito que a sua prova prossiga, ela não será abreviada a nosso pedido. Mas fora ato de impiedade desanimarmos por não ter sido satisfeita a nossa súplica. Aliás, em falta de cessação da prova, podemos esperar alguma outra consolação que lhe mitigue o amargor. O que de mais necessário há para aquele que se acha aflito, são a resignação e a coragem, sem as quais não lhe será possível sofrê-la com proveito para si, porque terá de recomeçá-la. É, pois, para esse objetivo que nos cumpre, sobretudo, orientar os nossos esforços, quer pedindo lhe venham em auxílio os bons Espíritos, quer levantando-lhe o moral por meio de conselhos e encorajamentos, quer, enfim, assistindo-o materialmente, se for possível. A prece, neste caso, pode também ter efeito direto, dirigindo, sobre a pessoa por quem é feita, uma corrente fluídica com o intento de lhe fortalecer o moral.

43. Prece – Deus de infinita bondade, digna-te de suavizar o amargor da posição em que se encontra N..., se assim for a tua vontade.

Bons Espíritos, em nome de Deus Todo-Poderoso, eu vos suplico que o assistais nas suas aflições. Se, no seu interesse, elas lhe não puderem ser poupadas, fazei [que N...] compreenda que são necessárias ao seu progresso. Dai-lhe confiança em

Deus e no futuro que lhas tornará menos acerbas. Dai-lhe também forças para não sucumbir ao desespero, que lhe faria perder o fruto de seus sofrimentos e lhe tornaria ainda mais penosa no futuro a situação. Encaminhai para ele o meu pensamento, a fim de que o ajude a manter-se corajoso.

Ação de graças por um benefício concedido a outrem

44. Prefácio – Quem não se acha dominado pelo egoísmo rejubila-se com o bem que acontece ao seu próximo, ainda mesmo que o não haja solicitado por meio da prece.

45. Prece – Meu Deus, sê bendito pela felicidade que adveio a N...

Bons Espíritos, fazei que nisso ele veja um efeito da bondade de Deus. Se o bem que lhe aconteceu é uma prova, inspirai-lhe a lembrança de fazer bom uso dele e de se não envaidecer, a fim de que esse bem não redunde, de futuro, em prejuízo seu.

A ti, bom gênio que me proteges e desejas a minha felicidade, peço afastes do meu coração todo sentimento de inveja ou de ciúme.

Pelos nossos inimigos e pelos que nos querem mal

46. Prefácio – Disse Jesus: Amai os vossos inimigos. Esta máxima é o sublime da caridade cristã; mas, enunciando-a, não pretendeu Jesus

Capítulo 4

preceituar que devamos ter para com os nossos inimigos o carinho que dispensamos aos amigos. Por aquelas palavras, Ele nos recomenda que lhes esqueçamos as ofensas, que lhes perdoemos o mal que nos façam, que lhes paguemos com o bem esse mal. Além do merecimento que, aos olhos de Deus, resulta de semelhante proceder, Ele equivale a mostrar aos homens o em que consiste a verdadeira superioridade.

47. Prece – Meu Deus, perdoo a N... o mal que me fez e o que me quis fazer, como desejo me perdoes e também ele me perdoe as faltas que eu haja cometido. Se o colocaste no meu caminho, como prova para mim, faça-se a tua vontade.

Livra-me, ó meu Deus, da ideia de o maldizer e de todo desejo malévolo contra ele. Faze que jamais me alegre com as desgraças que lhe cheguem, nem me desgoste com os bens que lhe poderão ser concedidos, a fim de não macular minha alma por pensamentos indignos de um cristão.

Possa a tua bondade, Senhor, estendendo-se sobre ele, induzi-lo a alimentar melhores sentimentos para comigo!

Bons Espíritos, inspirai-me o esquecimento do mal e a lembrança do bem. Que nem o ódio, nem o rancor, nem o desejo de lhe retribuir o mal com outro mal me entrem no coração, porquanto o ódio e a vingança só são próprios dos Espíritos maus, encarnados e desencarnados! Pronto esteja eu, ao contrário, a lhe estender mão fraterna, a lhe pagar com o bem o mal e a auxiliá-lo, se estiver ao meu alcance.

Desejo, para experimentar a sinceridade do que digo, que ocasião se me apresente de lhe ser útil; mas, sobretudo, ó meu Deus, preserva-me de fazê-lo por orgulho ou ostentação, abatendo-o com uma generosidade humilhante, o que me acarretaria a perda do fruto da minha ação, pois, nesse caso, eu mereceria me fossem aplicadas estas palavras do Cristo: Já recebeste a tua recompensa.

Ação de graças pelo bem concedido aos nossos inimigos

48. Prefácio – Não desejar mal aos seus inimigos é ser apenas meio caridoso. A verdadeira caridade quer que lhes almejemos o bem e que nos sintamos felizes com o bem que lhes advenha.

49. Prece – Meu Deus, entendeste em tua justiça encher de júbilo o coração de N... Agradeço-te por ele, sem embargo do mal que me fez ou que tem procurado fazer-me. Se desse bem ele se aproveitasse para me humilhar, eu receberia isso como uma prova para a minha caridade.

Bons Espíritos que me protegeis, não permitais que me sinta pesaroso por isso. Isentai-me da inveja e do ciúme que rebaixam. Inspirai-me, ao contrário, a generosidade que eleva. A humilhação está no mal e não no bem; e sabemos que, cedo ou tarde, justiça será feita a cada um, segundo suas obras.

Capítulo 4

Pelos inimigos do Espiritismo

50. Bem-aventurados os famintos de justiça, porque serão saciados. Bem-aventurados os que sofrem perseguição por amor da justiça, porque deles é o Reino dos Céus.

Ditosos sereis, quando os homens vos carregarem de maldições, vos perseguirem e falsamente disserem contra vós toda espécie de mal, por minha causa. Rejubilai-vos, então, porque grande recompensa vos está reservada nos Céus, pois assim perseguiram eles os profetas enviados antes de vós (*Mateus*, 5:6 e 10 a 12).

Não temais os que matam o corpo, mas que não podem matar a alma; temei, antes, aquele que pode perder alma e corpo no inferno (*Mateus*, 10:28).

51. Prefácio – De todas as liberdades, a mais inviolável é a de pensar, que abrange a de consciência. Lançar alguém anátema sobre os que não pensam como ele é reclamar para si essa liberdade e negá-la aos outros, é violar o primeiro mandamento de Jesus: a caridade e o amor do próximo. Perseguir os outros, por motivos de suas crenças, é atentar contra o mais sagrado direito que tem todo homem, o de crer no que lhe convém e de adorar a Deus como o entenda. Constrangê-los a atos exteriores semelhantes aos nossos é mostrarmos que damos mais valor à forma do que ao fundo, mais às aparências, do que à convicção. Nunca a abjuração forçada deu a quem quer que fosse a fé; apenas pode fazer hipócritas. É um

abuso da força material, que não prova a verdade. *A verdade é senhora de si: convence e não persegue, porque não precisa perseguir.*

  O Espiritismo é uma opinião, uma crença; fosse até uma religião, por que se não teria a liberdade de se dizer espírita, como se tem a de se dizer católico, protestante, ou judeu, adepto de tal ou qual doutrina filosófica, de tal ou qual sistema econômico? Essa crença é falsa ou é verdadeira. Se é falsa, cairá por si mesma, visto que o erro não pode prevalecer contra a verdade, quando se faz luz nas inteligências. Se é verdadeira, não haverá perseguição que a torne falsa.

 A perseguição é o batismo de toda ideia nova, grande e justa e cresce com a magnitude e a importância da ideia. O furor e o desabrimento dos seus inimigos são proporcionais ao temor que ela lhes inspira. Tal a razão por que o Cristianismo foi perseguido outrora e por que o Espiritismo o é hoje, com a diferença, todavia, de que aquele o foi pelos pagãos, e o segundo o é por cristãos. Passou o tempo das perseguições sangrentas, é exato; contudo, se já não matam o corpo, torturam a alma, atacam-na até nos seus mais íntimos sentimentos, nas suas mais caras afeições. Lança-se a desunião nas famílias, excita-se a mãe contra a filha, a mulher contra o marido; investe-se mesmo contra o corpo, agravando-se-lhe as necessidades materiais, tirando-se-lhe o ganha-pão, para reduzir pela fome o crente.

Capítulo 4

Espíritas, não vos aflijais com os golpes que vos desfiram, pois eles provam que estais com a verdade. Se assim não fosse, deixar-vos-iam tranquilos e não vos procurariam ferir. Constitui uma prova para a vossa fé, porquanto é pela vossa coragem, pela vossa resignação e pela vossa paciência que Deus vos reconhecerá entre os seus servidores fiéis, a cuja contagem Ele hoje procede, para dar a cada um a parte que lhe toca, segundo suas obras.

A exemplo dos primeiros cristãos, carregai com altivez a vossa cruz. Crede na palavra do Cristo, que disse: "Bem-aventurados os que sofrem perseguição por amor da justiça, que deles é o Reino dos Céus. Não temais os que matam o corpo, mas que não podem matar a alma". Ele também disse: "Amai os vossos inimigos, fazei bem aos que vos fazem mal e orai pelos que vos perseguem". Mostrai que sois seus verdadeiros discípulos e que a vossa Doutrina é boa, fazendo o que Ele disse e fez.

A perseguição pouco durará. Aguardai com paciência o romper da aurora, pois que já rutila no horizonte a estrela-d'alva.

52. Prece – Senhor, tu nos disseste pela boca de Jesus, o teu Messias: "Bem-aventurados os que sofrem perseguição por amor da justiça; perdoai aos vossos inimigos; orai pelos que vos persigam". E Ele próprio nos deu o exemplo, orando pelos seus algozes.

Seguindo esse exemplo, meu Deus, imploramos a tua misericórdia para os que desprezam os teus sacratíssimos preceitos, únicos capazes de facultar a paz neste mundo e no outro. Como o Cristo, também nós te dizemos: "Perdoa-lhes, Pai, que eles não sabem o que fazem".

Dá-nos forças para suportar com paciência e resignação, como provas para a nossa fé e a nossa humildade, seus escárnios, injúrias, calúnias e perseguições; isenta-nos de toda ideia de represálias, visto que para todos soará a hora da tua justiça, hora que esperamos submissos à tua vontade santa.

Por uma criança que acaba de nascer

53. Prefácio – Somente depois de terem passado pelas provas da vida corpórea, chegam à perfeição os Espíritos. Os que se encontram na erraticidade[6] aguardam que Deus lhes permita volver a uma existência que lhes proporcione meios de progredir, quer pela expiação de suas faltas passadas, mediante as vicissitudes a que fiquem sujeitos, quer desempenhando uma missão proveitosa para a Humanidade. O seu adiantamento e a sua felicidade futura serão proporcionados à maneira por que empreguem o tempo que hajam de estar na Terra. O encargo de lhes guiar os primeiros passos e de os encaminhar para o bem cabe a seus

---

[6] N.E.: Os Espíritos (desencarnados) que ainda necessitam reencarnar para se aperfeiçoar, enquanto aguardam (no Plano Espiritual) uma nova encarnação, encontram-se na Erraticidade. É o intervalo em que se encontra o Espírito de uma encarnação para outra. Os Espíritos puros que atingiram a perfeição não são errantes, porque não precisam mais reencarnar (Ver q. 223 a 233 — Espíritos errantes, de *O livro dos espíritos*).

pais, que responderão perante Deus pelo desempenho que derem a esse mandato. Para lhos facilitar, foi que Deus fez do amor paterno e do amor filial uma Lei da Natureza, Lei que jamais se transgride impunemente.

54. Prece (Para ser dita pelos pais) – Espírito que encarnaste no corpo do nosso filho, sê bem-vindo. Sê bendito, ó Deus Onipotente, que no-lo mandaste.

É um depósito que nos foi confiado e do qual teremos um dia de prestar contas. Se ele pertence à nova geração de Espíritos bons que hão de povoar a Terra, obrigado, ó meu Deus, por essa graça! Se é uma alma imperfeita, corre-nos o dever de ajudá-lo a progredir na senda do bem, pelos nossos conselhos e bons exemplos. Se cair no mal, por culpa nossa, responderemos por isso, visto que, então, teremos falido em nossa missão junto dele.

Senhor, ampara-nos em nossa tarefa e dá-nos a força e a vontade de cumpri-la. Se este filho nos vem como provação para os nossos espíritos, faça-se a tua vontade!

Bons Espíritos que presidistes ao seu nascimento e que tendes de acompanhá-lo no curso de sua existência, não o abandoneis. Afastai dele os maus Espíritos que tentem orientá-lo para o mal. Dai-lhe forças para lhes resistir às sugestões e coragem para sofrer com paciência e resignação as provas que o esperam na Terra.

55. (Outra) – Meu Deus, confiaste-me a sorte de um dos teus Espíritos; faze, Senhor, que eu

seja digno do encargo que me impuseste. Concede-me a tua proteção. Ilumina a minha inteligência, a fim de que eu possa perceber desde cedo as tendências daquele que me compete preparar para ascender à tua paz.

56. (Outra) – Deus de Bondade, pois que te aprouve permitir que o Espírito desta criança viesse de novo sofrer as provas terrenas, destinadas a fazê-lo progredir, dá-lhe luz, a fim de que aprenda a conhecer-te, amar-te e adorar-te. Faze, pela tua onipotência, que esta alma se regenere na fonte das tuas sábias instruções; que, sob a égide do seu anjo guardião, a sua inteligência se desenvolva e amplie e o leve a ter por aspiração aproximar-se cada vez mais de ti; que a ciência do Espiritismo seja a luz brilhante que o ilumine através dos escolhos da vida; que ele, enfim, saiba apreciar toda a extensão do teu amor, que nos põe em prova, para purificar-nos.

Senhor, lança paterno olhar sobre a família a que confiaste esta alma, para que ela compreenda a importância da sua missão e faça que germinem nesta criança as boas sementes, até ao dia em que ela possa, por suas próprias aspirações, elevar-se sozinha para ti.

Digna-te, ó meu Deus, de atender a esta humilde prece, em nome e pelos merecimentos daquele que disse: "Deixai venham a mim as criancinhas, porquanto o Reino dos Céus é para os que se lhes assemelham".

Capítulo 4

Por um agonizante

57. Prefácio – A agonia é o prelúdio da separação da alma e do corpo. Pode dizer-se que, nesse momento, o homem tem um pé neste mundo e um no outro. É penosa às vezes essa passagem, para os que muito apegados se acham à matéria e viveram mais para os bens deste mundo do que para os do outro, ou cuja consciência se encontra agitada pelos pesares e remorsos. Para aqueles cujos pensamentos, ao contrário, buscaram o Infinito e se desprenderam da matéria, menos difíceis de romper-se são os laços que os prendem à Terra e nada têm de dolorosos os seus últimos momentos. Apenas um fio liga, então, a alma ao corpo, enquanto que no outro caso, profundas raízes a conservam presa ao corpo. Em todos os casos, a prece exerce ação poderosa sobre o trabalho de separação.

58. Prece – Deus Onipotente e Misericordioso, aqui está uma alma prestes a deixar o seu envoltório terreno para volver ao mundo dos Espíritos, sua verdadeira pátria. Dado lhe seja fazê-lo em paz e que sobre ela se estenda a tua misericórdia.

Bons Espíritos que a acompanhastes na Terra, não a abandoneis neste momento supremo. Dai-lhe forças para suportar os últimos sofrimentos por que lhe cumpre passar neste mundo, a bem do seu progresso futuro. Inspirai-a, para que consagre ao arrependimento de suas faltas os últimos clarões de inteligência que lhe restem, ou que momentaneamente lhe advenham.

Dirigi o meu pensamento, a fim de que atue de modo a tornar menos penoso para ela o trabalho da separação e a fim de que leve consigo, ao abandonar a Terra, as consolações da esperança.

IV – PRECES PELOS QUE JÁ NÃO SÃO DA TERRA

Por alguém que acaba de morrer

59. Prefácio – As preces pelos Espíritos que acabam de deixar a Terra não objetivam, unicamente, dar-lhes um testemunho de simpatia: também têm por efeito auxiliar-lhes o desprendimento e, desse modo, abreviar-lhes a perturbação que sempre se segue à separação, tornando-lhes mais calmo o despertar. Ainda aí, porém, como em qualquer outra circunstância, a eficácia está na sinceridade do pensamento e não na quantidade das palavras que se profiram mais ou menos pomposamente e em que, amiúde, nenhuma parte toma o coração.

As preces que deste se elevam ressoam em torno do Espírito, cujas ideias ainda estão confusas, como as vozes amigas que nos fazem despertar do sono.

60. Prece – Onipotente Deus, que a tua misericórdia se derrame sobre a alma de N..., a quem acabaste de chamar da Terra. Possam ser-lhe contadas as provas que aqui sofreu, bem como ter suavizadas

Capítulo 4

e encurtadas as penas que ainda haja de suportar na Espiritualidade!

Bons Espíritos que o viestes receber e tu, particularmente, seu anjo guardião, ajudai-o a despojar-se da matéria; dai-lhe luz e a consciência de si mesmo, a fim de que saia presto da perturbação inerente à passagem da vida corpórea para a vida espiritual. Inspirai-lhe o arrependimento das faltas que haja cometido e o desejo de obter permissão para as reparar, a fim de acelerar o seu avanço rumo à vida eterna bem-aventurada.

N..., acabas de entrar no mundo dos Espíritos e, no entanto, presente aqui te achas entre nós; tu nos vês e ouves, por isso que de menos do que havia, entre ti e nós, só há o corpo perecível que vens de abandonar e que em breve estará reduzido a pó.

Despistes o envoltório grosseiro, sujeito a vicissitudes e à morte, e conservaste apenas o envoltório etéreo, imperecível e inacessível aos sofrimentos. Já não vives pelo corpo; vives da vida dos Espíritos, vida essa isenta das misérias que afligem a Humanidade.

Já não tens diante de ti o véu que às nossas vistas oculta os esplendores da vida no Além. Podes, doravante, contemplar novas maravilhas, ao passo que nós ainda continuamos mergulhados em trevas.

Vais, em plena liberdade, percorrer o espaço e visitar os mundos, enquanto nós rastejamos penosamente na Terra, à qual se conserva preso o nosso corpo material, semelhante, para nós, a pesado fardo.

Diante de ti, vai desenrolar-se o panorama do Infinito e, em face de tanta grandeza, compreenderás a vacuidade dos nossos desejos terrestres, das nossas ambições mundanas e dos gozos fúteis com que os homens tanto se deleitam.

A morte, para os homens, mais não é do que uma separação material de alguns instantes. Do exílio onde ainda nos retém a Vontade de Deus, bem assim os deveres que nos correm neste mundo, acompanhar-te-emos pelo pensamento, até que nos seja permitido juntar-nos a ti, como tu te reuniste aos que te precederam.

Não podemos ir onde te achas, mas tu podes vir ter conosco. Vem, pois, aos que te amam e que tu amaste; ampara-os nas provas da vida; vela pelos que te são caros; protege-os, como puderes; suaviza-lhes os pesares, fazendo-lhes perceber, pelo pensamento, que és mais ditoso agora e dando-lhes a consoladora certeza de que um dia estareis todos reunidos num mundo melhor.

Nesse, onde te encontras, devem extinguir-se todos os ressentimentos. Que a eles, daqui em diante, sejas inacessível, a bem da tua felicidade futura! Perdoa, portanto, aos que hajam incorrido em falta para contigo, como eles te perdoam as que tenhas cometido para com eles.

NOTA – Podem acrescentar-se a esta prece, que se aplica a todos, algumas palavras especiais, conforme as circunstâncias particulares de família ou de relações, bem como a posição social que ocupava o defunto.

Capítulo 4

Se se trata de uma criança, ensina-nos o Espiritismo que não está ali um Espírito de criação recente, mas um que já viveu e que pode, mesmo, já ser muito adiantado. Se foi curta a sua última existência, é que não devia passar de uma completação de prova, ou constituir uma prova para os pais.

61. (Outra)[7] – Senhor Onipotente, que a tua misericórdia se estenda sobre os nossos irmãos que acabam de deixar a Terra! Que a tua luz brilhe para eles! Tira-os das trevas; abre-lhes os olhos e os ouvidos! Que os bons Espíritos os cerquem e lhes façam ouvir palavras de paz e de esperança!

Senhor, ainda que muito indignos, ousamos implorar a tua misericordiosa indulgência para este irmão nosso que acaba de ser chamado do exílio. Faze que o seu regresso seja o do filho pródigo. Esquece, ó meu Deus, as faltas que haja cometido, para te lembrares somente do bem que haja praticado. Imutável é a tua justiça, nós o sabemos; mas imenso é o teu amor. Suplicamos-te que abrandes aquela, na fonte de bondade que emana do teu seio.

Brilhe a luz para os teus olhos, irmão que vens de deixar a Terra! Que os bons Espíritos de ti se aproximem, te cerquem e ajudem a romper as cadeias terrenas! Compreende e vê a grandeza do nosso Senhor: submete-te, sem queixumes, à sua justiça, porém, não desesperes nunca da sua misericórdia. Irmão! que um sério retrospecto do teu passado te abra as portas do futuro, fazendo-te perceber as faltas que

---

[7] Nota de Allan Kardec: Esta prece foi ditada a um médium de Bordeaux, na ocasião em que passava pela sua casa o féretro de um desconhecido.

deixas para trás e o trabalho cuja execução te incumbe para as reparares! Que Deus te perdoe e que os bons Espíritos te amparem e animem. Por ti orarão os teus irmãos da Terra e pedem que por eles ores.

Pelas pessoas a quem tivemos afeição

62. Prefácio – Que horrenda é a ideia do nada! Quão de lastimar são os que acreditam que no vácuo se perde, sem encontrar eco que lhe responda, a voz do amigo que chora o seu amigo! Jamais conheceram as puras e santas afeições os que pensam que tudo morre com o corpo; que o gênio, que com a sua vasta inteligência iluminou o mundo, é uma combinação de matéria, que, qual sopro, se extingue para sempre; que do mais querido ente, de um pai, de uma mãe, ou de um filho adorado não restará senão um pouco de pó que o vento irremediavelmente dispersará.

Como pode um homem de coração conservar-se frio a essa ideia? Como não o gela de terror a ideia de um aniquilamento absoluto e não lhe faz, ao menos, desejar que não seja assim? Se até hoje não lhe foi suficiente a razão para afastar de seu espírito quaisquer dúvidas, aí está o Espiritismo a dissipar toda incerteza com relação ao futuro, por meio das provas materiais que dá da sobrevivência da alma e da existência dos seres de Além-Túmulo. Tanto assim é que por toda a parte essas provas são acolhidas com júbilo; a confiança renasce, pois que o homem doravante sabe que a vida terrestre é apenas uma breve

Capítulo 4

passagem conducente a melhor vida; que seus trabalhos neste mundo não lhe ficam perdidos e que as mais santas afeições não se despedaçam sem mais esperanças.

63. Prece – Digna-te, ó meu Deus, de acolher, benévolo, a prece que te dirijo pelo Espírito N... Faze-lhe entrever as claridades divinas e torna-lhe fácil o caminho da felicidade eterna. Permite que os bons Espíritos lhe levem as minhas palavras e o meu pensamento.

Tu, que tão caro me eras neste mundo, escuta a minha voz, que te chama para te oferecer novo penhor da minha afeição. Permitiu Deus que te libertasses antes de mim e eu disso me não poderia queixar sem egoísmo, porquanto fora querer-te sujeito ainda às penas e sofrimentos da vida. Espero, pois, resignado, o momento de nos reunirmos de novo no mundo mais venturoso no qual me precedeste.

Sei que é apenas temporária a nossa separação e que, por mais longa que me possa parecer, a sua duração nada é em face da ditosa eternidade que Deus promete aos seus escolhidos. Que a sua bondade me preserve de fazer o que quer que retarde esse desejado instante e me poupe assim à dor de te não encontrar, ao sair do meu cativeiro terreno.

Oh! quão doce e consoladora é a certeza de que não há entre nós mais do que um véu material que te oculta às minhas vistas! de que podes estar aqui, ao meu lado, a me ver e ouvir como outrora, senão ainda melhor do que outrora; de que não me esqueces, do mesmo modo que eu te não esqueço; de que os nossos pensamentos constantemente se entrecruzam e que o teu sempre me acompanha e ampara.

Que a paz do Senhor seja contigo.

Pelas almas sofredoras que pedem preces

64. Prefácio – Para se compreender o alívio que a prece pode proporcionar aos Espíritos sofredores, faz-se preciso saber de que maneira ela atua, conforme atrás ficou explicado. Aquele que se ache compenetrado dessa verdade ora com mais fervor, pela certeza que tem de não orar em vão.

65. Prece – Deus Clemente e Misericordioso, que a tua bondade se estenda por sobre todos os Espíritos que se recomendam às nossas preces e particularmente sobre a alma de N...

Bons Espíritos, que tendes por única ocupação fazer o bem, intercedei comigo pelo alívio deles. Fazei que lhes brilhe diante dos olhos um raio de esperança e que a luz divina os esclareça acerca das imperfeições que os conservam distantes da morada dos bem-aventurados. Abri-lhes o coração ao arrependimento e ao desejo de se depurarem, para que se lhes acelere o adiantamento. Fazei-lhes compreender que, por seus esforços, podem eles encurtar a duração de suas provas.

Que Deus, em sua bondade, lhes dê a força de perseverarem nas boas resoluções!

Capítulo 4

Possam essas palavras repassadas de benevolência suavizar-lhes as penas, mostrando-lhes que há na Terra seres que deles se compadecem e lhes desejam toda a felicidade.

66. (Outra) – Nós te pedimos, Senhor, que espalhes as graças do teu amor e da tua misericórdia por todos os que sofrem, quer no espaço como Espíritos errantes, quer entre nós como encarnados. Tem piedade das nossas fraquezas. Falíveis nos fizeste, mas dando-nos capacidade para resistir ao mal e vencê-lo. Que a tua misericórdia se estenda sobre todos os que não hão podido resistir aos seus maus pendores e que ainda se deixam arrastar por maus caminhos. Que os bons Espíritos os cerquem; que a tua luz lhes brilhe aos olhos e que, atraídos pelo calor vivificante dessa luz, eles venham prosternar-se a teus pés, humildes, arrependidos e submissos.

Pedimos-te, igualmente, Pai de Misericórdia, por aqueles dos nossos irmãos que não tiveram forças para suportar suas provas terrenas. Tu, Senhor, nos deste um fardo a carregar e só aos teus pés temos de o depor. Grande, porém, é a nossa fraqueza e a coragem nos falta algumas vezes no curso da jornada. Compadece-te desses servos indolentes que abandonaram antes da hora o trabalho. Que a tua justiça os poupe, e consente que os bons Espíritos lhes levem alívio, consolações e esperanças no futuro. A perspectiva do perdão fortalece a alma; mostra-a, Senhor, aos culpados que desesperam e, sustentados por essa esperança, eles haurirão forças na grandeza mesma de suas faltas e de seus sofrimentos, a fim de resgatarem o passado e se prepararem a conquistar o futuro.

Por um inimigo que morreu

67. Prefácio – A caridade para com os nossos inimigos deve acompanhá-los ao Além-Túmulo. Precisamos ponderar que o mal que eles nos fizeram foi para nós uma prova, que há de ter sido propícia ao nosso adiantamento, se a soubemos aproveitar. Pode ter-nos sido, mesmo, de maior proveito do que as aflições puramente materiais, pelo fato de nos haver facultado juntar, à coragem e à resignação, a caridade e o esquecimento das ofensas.

68. Prece – Senhor, foi do teu agrado chamar, antes da minha, a alma de N... Perdoo-lhe o mal que me fez e as más intenções que nutriu com referência a mim. Possa ele ter pesar disso, agora que já não alimenta as ilusões deste mundo.

Que a tua misericórdia, meu Deus, desça sobre ele e afaste de mim a ideia de me alegrar com a sua morte. Se incorri em faltas para com ele, que mas perdoe, como eu esqueço as que cometeu para comigo.

Por um criminoso

69. Prefácio – Se a eficácia das preces fosse proporcional à extensão delas, as mais longas deveriam ficar reservadas para os mais culpados, porque mais

lhes são elas necessárias do que àqueles que santamente viveram. Recusá-las aos criminosos é faltar com a caridade e desconhecer a Misericórdia de Deus; julgá-las inúteis, quando um homem haja praticado tal ou tal erro, fora prejulgar a justiça do Altíssimo.

70. Prece – Senhor, Deus de Misericórdia, não repilas esse criminoso que acaba de deixar a Terra. A justiça dos homens o castigou, mas não o isentou da tua, se o remorso não lhe penetrou o coração.

Tira-lhe dos olhos a venda que lhe oculta a gravidade de suas faltas. Possa o seu arrependimento merecer de ti acolhimento benévolo e abrandar os sofrimentos de sua alma! Possam também as nossas preces e a intercessão dos bons Espíritos levar-lhe esperança e consolação; inspirar-lhe o desejo de reparar suas ações más numa nova existência e dar-lhe forças para não sucumbir nas novas lutas em que se empenhar!

Senhor, tem piedade dele!

Por um suicida

71. Prefácio – Jamais tem o homem o direito de dispor da sua vida, porquanto só a Deus cabe retirá-lo do cativeiro da Terra, quando o julgue oportuno. Todavia, a Justiça Divina pode abrandar-lhe os rigores, de acordo com as circunstâncias, reservando, porém, toda a severidade para com aquele que se quis subtrair às provas da vida. O suicida é qual prisioneiro que se evade da prisão, antes de cumprida

a pena; quando preso de novo, é mais severamente tratado. O mesmo se dá com o suicida que julga escapar às misérias do presente e mergulha em desgraças maiores.

72. Prece – Sabemos, ó meu Deus, qual a sorte que espera os que violam a tua Lei, abreviando voluntariamente seus dias, mas também sabemos que infinita é a tua misericórdia. Digna-te, pois, de estendê-la sobre a alma de N... Possam as nossas preces e a tua comiseração abrandar a acerbidade dos sofrimentos que ele está experimentando, por não haver tido a coragem de aguardar o fim de suas provas.

Bons Espíritos, que tendes por missão assistir os desgraçados, tomai-o sob a vossa proteção; inspirai-lhe o pesar da falta que cometeu. Que a vossa assistência lhe dê forças para suportar com mais resignação as novas provas por que haja de passar, a fim de repará-la. Afastai dele os maus Espíritos, capazes de o impelirem novamente para o mal e prolongar-lhe os sofrimentos, fazendo-o perder o fruto de suas futuras provas.

A ti, cuja desgraça motiva as nossas preces, nos dirigimos também, para te exprimir o desejo de que a nossa comiseração te diminua o amargor e te faça nascer no íntimo a esperança de melhor porvir! Nas tuas mãos está ele; confia na bondade de Deus, cujo seio se abre a todos os arrependimentos e só se conserva fechado aos corações endurecidos.

Capítulo 4
Pelos Espíritos penitentes

73. Prefácio – Fora injusto incluir na categoria dos Espíritos maus os sofredores e penitentes que pedem preces. Podem eles ter sido maus, porém, já não o são, desde que reconhecem suas faltas e as deploram; são apenas infelizes. Já alguns começam mesmo a gozar de relativa felicidade.

74. Prece – Deus de Misericórdia, que aceitas o arrependimento sincero do pecador, encarnado ou desencarnado, aqui está um Espírito que se há comprazido no mal, porém, que reconhece seus erros e entra no bom caminho. Digna-te, ó meu Deus, de recebê-lo como filho pródigo e de lhe perdoar.

Bons Espíritos, doravante ele deseja ouvir a vossa voz, que até hoje desatendeu; permiti-lhe que entreveja a felicidade dos eleitos do Senhor, a fim de que persista no desejo de purificar-se para alcançá-la. Amparai-o em suas boas resoluções e dai-lhe forças para resistir aos seus maus instintos.

Espírito de N... nós te felicitamos pela mudança que em ti se operou e agradecemos aos bons Espíritos que te ajudaram.

Se te comprazias outrora em fazer o mal, é que não compreendias quão doce é o gozo de fazer o bem; também te sentias por demais baixo para esperar consegui-lo. Mas, do momento em que puseste o pé no bom caminho, uma luz nova brilhou aos teus olhos; começaste a gozar de uma felicidade que desconhecias e a esperança te entrou no coração. É que Deus ouve sempre a prece do pecador que se arrepende; não repele a nenhum dos que o buscam.

Para entrares de novo e completamente na sua graça, esforça-te daqui por diante não só para não mais praticares o mal, senão que para fazeres o bem e, sobretudo, reparares o mal que fizeste. Terás então satisfeito à Justiça de Deus; cada uma das boas ações que praticares apagará uma das tuas faltas passadas.

Já está dado o primeiro passo; agora, quanto mais avançares no caminho, tanto mais fácil e agradável ele te parecerá. Persevera, pois, e um dia terás a glória de ser contado entre os Espíritos bons e os bem-aventurados.

Pelos Espíritos endurecidos

75. Prefácio – Os maus Espíritos são aqueles que ainda não foram tocados de arrependimento; que se deleitam no mal e nenhum pesar por isso sentem; que são insensíveis às reprimendas, repelem a prece e muitas vezes blasfemam do nome de Deus. São essas almas endurecidas que, após a morte, se vingam nos homens dos sofrimentos que suportam, e perseguem com o seu ódio aqueles a quem odiaram durante a vida, quer obsidiando-os, quer exercendo sobre eles qualquer influência funesta.

Duas categorias há bem distintas de Espíritos perversos: a dos que são francamente maus e a dos hipócritas. Infinitamente mais fácil é reconduzir ao bem os primeiros do que os segundos. Aqueles, as mais das vezes, são naturezas brutas e grosseiras, como se nota entre os homens; praticam o mal mais por instinto do que por cálculo e não procuram passar por melhores do que são. Há neles, entretanto, um gérmen latente que é preciso fazer desabrochar, o que se consegue quase sempre por meio da perseverança, da firmeza aliada à benevolência, dos conselhos, do raciocínio e da prece. Através da mediunidade, a dificuldade que eles encontram para escrever o nome de Deus é sinal de um temor instintivo, de uma voz íntima da consciência que lhes diz serem indignos de fazê-lo. Nesse ponto estão a pique de converter-se e tudo se pode esperar deles: basta se lhes encontre o ponto vulnerável do coração.

Os Espíritos hipócritas quase sempre são muito inteligentes, mas nenhuma fibra sensível possuem no coração; nada os toca; simulam todos os bons sentimentos para captar a confiança, e felizes se sentem quando encontram tolos que os aceitam como santos Espíritos, pois que possível se lhes torna governá-los à vontade. O nome de Deus, longe de lhes inspirar o menor temor, serve-lhes de máscara para encobrirem suas torpezas. No mundo invisível, como no mundo visível, os hipócritas são os seres mais perigosos, porque atuam na sombra, sem que ninguém disso desconfie; têm apenas as aparências da fé, mas fé sincera, jamais.

76. Prece – Senhor, digna-te de lançar um olhar de bondade sobre os Espíritos imperfeitos, que

ainda se encontram na treva da ignorância e te desconhecem, particularmente sobre N...

Bons Espíritos, ajudai-nos a fazer-lhe compreender que, induzindo os homens ao mal, obsidiando-os e atormentando-os, ele prolonga os seus próprios sofrimentos; fazei que o exemplo da felicidade de que gozais lhe seja um encorajamento.

Espírito que ainda te comprazes no mal, vem ouvir a prece que por ti fazemos; ela te há de provar que desejamos o teu bem, conquanto faças o mal.

És desgraçado, pois não se pode ser feliz fazendo o mal. Por que então te conservarás no sofrimento quando de ti depende evitá-lo? Olha os bons Espíritos que te cercam; vê quão ditosos são e se te não seria mais agradável fruir da mesma felicidade.

Dirás que te é impossível; porém, nada é impossível àquele que quer, porquanto Deus te deu, como a todas as suas criaturas, a liberdade de escolher entre o bem e o mal, isto é, entre a felicidade e a desgraça, e ninguém se acha condenado a praticar o mal. Assim como tens vontade de fazê-lo, também podes ter a de fazer o bem e de ser feliz.

Volve para Deus o teu olhar; dirige-lhe por um instante o teu pensamento e um raio da divina luz virá iluminar-te. Dize conosco estas simples palavras: Meu Deus, eu me arrependo, perdoa-me. Tenta arrepender-te e fazer o bem, em vez de fazer o mal, e verás que logo a sua misericórdia descerá sobre ti, que um bem-estar indizível substituirá as angústias que experimentas.

Desde que hajas dado um passo no bom caminho, o resto deste te parecerá fácil de percorrer. Compreenderás então quanto tempo perdeste de felicidade por culpa tua; mas um futuro radioso e pleno de esperança se abrirá diante de ti e te fará esquecer o teu miserável passado, prenhe de perturbação e de torturas morais, que seriam para ti o Inferno, se houvessem de durar eternamente. Dia virá em que essas torturas serão tais que a qualquer preço quererás fazê-las cessar; porém, quanto mais te demorares, tanto mais difícil será isso.

Não creias que permanecerás sempre no estado em que te achas; não, que isso é impossível. Duas perspectivas tens diante de ti: a de sofreres muitíssimo mais do que tens sofrido até agora e a de seres ditoso como os bons Espíritos que te rodeiam. A primeira será inevitável, se persistires na tua obstinação, quando um simples esforço da tua vontade bastará para te tirar da má situação em que te encontras. Apressa-te, pois, visto que cada dia de demora é um dia perdido para a tua felicidade.

Bons Espíritos, fazei que estas palavras ecoem nessa alma ainda atrasada, a fim de que a ajudem a aproximar-se de Deus. Nós vo-lo pedimos em nome de Jesus Cristo, que tão grande poder tinha sobre os maus Espíritos.

V – PRECES PELOS DOENTES E PELOS OBSIDIADOS

Pelos doentes

77. Prefácio – As doenças fazem parte das provas e das vicissitudes da vida terrena; são inerentes à grosseria da nossa natureza material e à inferioridade do mundo que habitamos. As paixões e os excessos de toda ordem semeiam em nós germens malsãos, às vezes hereditários. Nos mundos mais adiantados, física ou moralmente, o organismo humano, mais depurado e menos material, não está sujeito às mesmas enfermidades e o corpo não é minado surdamente pelo corrosivo das paixões. Temos, assim, de nos resignar às consequências do meio onde nos coloca a nossa inferioridade, até que mereçamos passar a outro. Isso, no entanto, não é de molde a impedir que, esperando tal se dê, façamos o que de nós depende para melhorar as nossas condições atuais. Se, porém, malgrado os nossos esforços, não o conseguirmos, o Espiritismo nos ensina a suportar com resignação os nossos passageiros males.

Se Deus não houvesse querido que os sofrimentos corporais se dissipassem ou abrandassem em certos casos, não houvera posto ao nosso alcance meios de cura. A esse respeito, a sua solicitude, em conformidade com o instinto de conservação, indica que é dever nosso procurar esses meios e aplicá-los.

Capítulo 4

A par da medicação ordinária, elaborada pela Ciência, o magnetismo nos dá a conhecer o poder da ação fluídica; e o Espiritismo nos revela outra força poderosa na mediunidade curadora e a influência da prece.

78. Prece (Para ser dita pelo doente) – Senhor, pois que és todo justiça, a enfermidade que te aprouve mandar-me necessariamente eu a merecia, visto que nunca impões sofrimento algum sem causa. Confio-me, para minha cura, à tua infinita misericórdia. Se for do teu agrado restituir-me a saúde, bendito seja o teu santo nome. Se, ao contrário, me cumpre sofrer mais, bendito seja ele do mesmo modo. Submeto-me, sem queixas, aos teus sábios desígnios, porquanto o que fazes só pode ter por fim o bem das tuas criaturas.

Dá, ó meu Deus, que esta enfermidade seja para mim um aviso salutar e me leve a refletir sobre a minha conduta. Aceito-a como uma expiação do passado e como uma prova para a minha fé e a minha submissão à tua santa vontade.

79. Prece (Pelo doente) – Meu Deus, são impenetráveis os teus desígnios e na tua sabedoria entendeste de afligir a N... pela enfermidade. Lança, eu te suplico, um olhar de compaixão sobre os seus sofrimentos e digna-te de pôr-lhes termo.

Bons Espíritos, ministros do Onipotente, secundai, eu vos peço, o meu desejo de aliviá-lo; encaminhai o meu pensamento, a fim de que vá derramar um bálsamo salutar em seu corpo e a consolação em sua alma.

Inspirai-lhe a paciência e a submissão à Vontade de Deus; dai-lhe a força de suportar suas dores com resignação cristã, a fim de que não perca o fruto desta prova.

80. Prece (Para ser dita pelo médium curador) – Meu Deus, se te dignas servir-te de mim, indigno como sou, poderei curar esta enfermidade, se assim o quiseres, porque em ti deposito fé. Mas, sem ti, nada posso. Permite que os bons Espíritos me cumulem de seus fluidos benéficos, a fim de que eu os transmita a esse doente, e livra-me de toda ideia de orgulho e de egoísmo que lhes pudesse alterar a pureza.

Pelos obsidiados

81. Prefácio – A obsessão é a ação persistente que um Espírito mau exerce sobre um indivíduo. Apresenta caracteres muito diversos, desde a simples influência moral, sem perceptíveis sinais exteriores, até a perturbação completa do organismo e das faculdades mentais. Oblitera todas as faculdades mediúnicas; traduz-se, na mediunidade escrevente, pela obstinação de um Espírito em se manifestar, com exclusão de todos os outros.

Os Espíritos maus pululam em torno da Terra, em virtude da inferioridade moral de seus habitantes. A ação malfazeja que eles desenvolvem faz parte dos flagelos com que a Humanidade se vê a braços neste mundo. A obsessão, como as enfermidades e todas as tribulações da vida, deve ser considerada prova ou expiação e como tal aceita.

Do mesmo modo que as doenças resultam das imperfeições físicas, que tornam o corpo acessível às influências perniciosas exteriores, a obsessão é sempre o resultado de uma imperfeição moral, que dá acesso a um Espírito mau. A causas físicas se opõem forças físicas; a uma causa moral, tem-se de opor uma força moral. Para preservá-lo das enfermidades, fortifica-se o corpo; para isentá-lo da obsessão, é preciso fortificar a alma, pelo que necessário se torna que o obsidiado trabalhe pela sua própria melhoria, o que as mais das vezes basta para o livrar do obsessor, sem recorrer a terceiros. O auxílio destes se faz indispensável, quando a obsessão degenera em subjugação e em possessão, porque aí não raro o paciente perde a vontade e o livre-arbítrio.

Quase sempre, a obsessão exprime a vingança que um Espírito tira e que com frequência se radica nas relações que o obsidiado manteve com ele em precedente existência.

Nos casos de obsessão grave, o obsidiado se acha como que envolvido e impregnado de um fluido pernicioso, que neutraliza a ação dos fluidos salutares e os repele. É desse fluido que importa desembaraçá-lo. Ora, um fluido mau não pode ser eliminado por outro fluido mau. Mediante ação idêntica à do médium curador nos casos de enfermidade, cumpre se elimine o fluido mau com o auxílio de um fluido melhor, que produz, de certo modo, o efeito de um reativo. Esta a ação mecânica, mas que não basta; necessário, sobretudo, é *que se atue sobre o ser inteligente*, ao qual importa se possa falar com autoridade, que só existe onde há superioridade moral. Quanto maior for esta, tanto maior será igualmente a autoridade.

E não é tudo: para garantir-se a libertação, cumpre induzir o Espírito perverso a renunciar aos seus maus desígnios; fazer que nele despontem o arrependimento e o desejo do bem, por meio de instruções habilmente ministradas, em evocações particulares, objetivando a sua educação moral. Pode-se então lograr a dupla satisfação de libertar um encarnado e de converter um Espírito imperfeito.

A tarefa se apresenta mais fácil quando o obsidiado, compreendendo a sua situação, presta o concurso da sua vontade e da sua prece. O mesmo não se dá, quando, seduzido pelo Espírito embusteiro, ele se ilude no tocante às qualidades daquele que o domina e se compraz no erro em que este último o lança, visto que, então, longe de secundar, repele toda assistência. É o caso da fascinação, infinitamente mais rebelde do que a mais violenta subjugação.

Em todos os casos de obsessão, a prece é o mais poderoso auxiliar de quem haja de atuar sobre o Espírito obsessor.

Capítulo 4

82. Prece (Para ser dita pelo obsidiado) – Meu Deus, permite que os bons Espíritos me livrem do Espírito malfazejo que se ligou a mim. Se é uma vingança que toma dos agravos que eu lhe haja feito outrora, tu a consentes, meu Deus, para minha punição e eu sofro a consequência da minha falta. Que o meu arrependimento me granjeie o teu perdão e a minha liberdade! Mas, seja qual for o motivo, imploro para o meu perseguidor a tua misericórdia. Digna-te de lhe mostrar o caminho do progresso, que o desviará do pensamento de praticar o mal. Possa eu, de meu lado, retribuindo-lhe com o bem o mal, induzi-lo a melhores sentimentos.

Mas, também sei, ó meu Deus, que são as minhas imperfeições que me tornam passível das influências dos Espíritos imperfeitos. Dá-me a luz de que necessito para as reconhecer; combate, sobretudo, em mim o orgulho que me cega com relação aos meus defeitos.

Qual não será a minha indignidade, pois que um ser malfazejo me pode subjugar!

Faze, ó meu Deus, que me sirva de lição para o futuro este golpe desferido na minha vaidade; que ele fortifique a resolução que tomo de me depurar pela prática do bem, da caridade e da humildade, a fim de opor, daqui por diante, uma barreira às más influências.

Senhor, dá-me forças para suportar com paciência e resignação esta prova. Compreendo que, como todas as outras, há de ela concorrer para o meu adiantamento, se eu não lhe estragar o fruto com os meus queixumes, pois me proporciona ensejo de mostrar a minha submissão e de exercitar minha caridade para com um irmão infeliz, perdoando-lhe o mal que me fez.

83. Prece (Pelo obsidiado) – Deus Onipotente, digna-te de me dar o poder de libertar N... da influência do Espírito que o obsidia. Se está nos teus desígnios pôr termo a essa prova, concede-me a graça de falar com autoridade a esse Espírito.

Bons Espíritos que me assistis, e tu, seu anjo guardião, dai-me o vosso concurso; ajudai-me a livrá-lo do fluido impuro em que se acha envolvido.

Em nome de Deus Onipotente, adjuro o Espírito malfazejo que o atormenta a que se retire.

84. Prece (Pelo Espírito obsessor) – Deus infinitamente bom, a tua misericórdia imploro para o Espírito que obsidia N... Faze-lhe entrever as divinas claridades, a fim de que reconheça falso o caminho por onde enveredou. Bons Espíritos, ajudai-me a fazer-lhe compreender que ele tudo tem a perder, praticando o mal, e tudo a ganhar, fazendo o bem.

Espírito que te comprazes em atormentar N..., escuta-me, pois que te falo em nome de Deus.

Se quiseres refletir, compreenderás que o mal nunca sobrepujará o bem e que não podes ser mais forte do que Deus e os bons Espíritos. Possível lhes fora preservar N... dos teus ataques; se não o fizeram, foi porque ele (ou ela) tinha de passar por uma prova. Mas, quando essa prova chegar a seu termo, toda ação sobre tua vítima te será vedada. O mal que lhe houveres feito, em vez de prejudicá-la, terá contribuído para o seu adiantamento e para torná-la por isso mais feliz. Assim, a tua maldade tê-la-ás empregado em pura perda e se voltará contra ti.

Deus, que é Todo-Poderoso, e os Espíritos superiores, seus delegados, mais poderosos do que tu, serão capazes de pôr fim a essa obsessão e a tua tenacidade se quebrará de encontro a essa autoridade suprema. Mas, por isso mesmo que é bom, quer Deus deixar-te o mérito de fazeres que ela cesse pela tua própria vontade. É uma mora que te concede; se não a aproveitares, sofrer-lhe-ás as deploráveis consequências. Grandes castigos e cruéis sofrimentos te esperarão. Serás forçado a suplicar a piedade e as preces da tua vítima, que já te perdoa e ora por ti, o que constitui grande merecimento aos olhos de Deus e apressará a libertação dela.

Reflete, pois, enquanto ainda é tempo, visto que a Justiça de Deus cairá sobre ti, como sobre todos os Espíritos rebeldes. Pondera que o mal que neste momento praticas terá forçosamente um limite, ao passo que, se persistires na tua obstinação, aumentarão de contínuo os teus sofrimentos.

Quando estavas na Terra, não terias considerado estúpido sacrificar um grande bem por uma pequena satisfação de momento? O mesmo acontece agora, quando és Espírito. Que ganhas com o que fazes? O triste prazer de atormentar alguém, o que não obsta a que sejas desgraçado, digas o que disseres, e que te tornes ainda mais desgraçado.

A par disso, vê o que perdes; observa os bons Espíritos que te cercam e dize se não é preferível à tua a sorte deles. Da felicidade de que gozam, também tu partilharás, quando o quiseres. Que é preciso para isso? Implorar a Deus e fazer, em vez do mal, o bem. Sei que não te podes transformar repentinamente; mas Deus não exige o impossível; quer apenas a boa vontade. Experimenta e nós te ajudaremos. Faze que em breve possamos dizer em teu favor a prece pelos Espíritos penitentes e não mais considerar-te entre os maus Espíritos, enquanto te não contes entre os bons.

OBSERVAÇÃO – A cura das obsessões graves requer muita paciência, perseverança e devotamento. Exige também tato e habilidade, a fim de encaminhar para o bem Espíritos muitas vezes perversos, endurecidos e astuciosos, porquanto há os rebeldes ao extremo. Na maioria dos casos, temos de nos guiar pelas circunstâncias. Qualquer que seja, porém, o caráter do Espírito, nada se obtém, é isto um fato incontestável, pelo constrangimento ou pela ameaça. Toda influência reside no ascendente moral. Outra verdade igualmente comprovada pela experiência tanto quanto pela lógica, *é a completa ineficácia dos exorcismos, fórmulas, palavras sacramentais, amuletos, talismãs, práticas exteriores, ou quaisquer sinais materiais.*
A obsessão muito prolongada pode ocasionar desordens patológicas e reclama, por vezes, tratamento simultâneo ou consecutivo, quer magnético, quer médico, para restabelecer a saúde do organismo. Destruída a causa, resta combater os efeitos.

CAPÍTULO 5
Prece de Cáritas

Deus, nosso Pai, que sois todo Poder e Bondade, dai a força àquele que passa pela provação, dai a luz àquele que procura a verdade, ponde no coração do homem a compaixão e a caridade.

Deus! Dai ao viajor a estrela guia, ao aflito a consolação, ao doente o repouso.

Pai! Dai ao culpado o arrependimento, ao Espírito a verdade, à criança o guia, ao órfão o pai.

Senhor! Que a Vossa Bondade se estenda sobre tudo que criastes.

Piedade, Senhor, para aquele que Vos não conhece, esperança para aquele que sofre.

Que a Vossa bondade permita aos Espíritos consoladores espalharem por toda parte a paz, a esperança e a fé.

Deus! Um raio, uma faísca de Vosso Amor pode abrasar a Terra; deixai-nos beber nas fontes desta Bondade Fecunda e Infinita, e todas as lágrimas secarão, todas as dores se acalmarão.

Prece de Cáritas

Um só coração, um só pensamento subirá até Vós, como um grito de reconhecimento e de amor.

Como Moisés sobre a montanha, nós Vos esperamos com os braços abertos, oh! Bondade, oh! Beleza, oh! Perfeição, e queremos de alguma sorte merecer a Vossa Misericórdia.

Deus! Dai-nos a força de ajudar o progresso a fim de subirmos até Vós; dai-nos a caridade pura, dai-nos a fé e a razão; dai-nos a simplicidade que fará das nossas almas o espelho onde se refletirá a Vossa Imagem.

CÁRITAS[8]

---

[8] N.E.: Esta prece foi extraída da obra francesa *Rayonnements de la Vie Spirituelle*, psicografada pela médium Mme. W. Krell, publicada em Bordeaux, em 1873, contendo mensagens de Musset, Lamartine, E. Pöe, Espírito de Verdade, Hahnemann, Éraste, Mélanchthon e outros, inclusive trabalhos diversos do mesmo Espírito Cárita (Cáritas).
No quarto parágrafo do original francês, há uma palavra que foi necessariamente suprimida mais tarde — aujourd'hui (hoje) —, por se tratar de alusão direta ao dia de Natal, no qual foi a prece ditada.
Eis o parágrafo aludido: "Piété, mon Dieu, pour celui qui ne vous connaît pas, espoir pour celui qui souffre! Que votre bonté permette aujourd'hui aux esprits consolateurs de répandre partout la paix, l'espérance et la foi!"
Para outros detalhes, vide *Reformador* de 1972, páginas 37-38.

www.febeditora.com.br
@febeditoraoficial
@febeditora

Conselho Editorial:
Carlos Roberto Campetti
Cirne Ferreira de Araújo
Evandro Noleto Bezerra
Geraldo Campetti Sobrinho – Coord. Editorial
Jorge Godinho Barreto Nery – Presidente
Maria de Lourdes Pereira de Oliveira
Miriam Lúcia Herrera Masotti Dusi

Produção Editorial:
Elizabete de Jesus Moreira

Revisão:
Elizabete de Jesus Moreira
Jorge Leite de Oliveira
Plotino Ladeira da Matta

Capa e Diagramação:
Thiago Pereira Campos

Projeto Gráfico:
Rones José Silvano de Lima – instagram.com/bookebooks_designer

Foto de Capa:
istockphoto.com / RyanJLane

Normalização Técnica:
Biblioteca de Obras Raras e Documentos Patrimoniais do Livro

Esta edição foi impressa pela Coronário Editora Gráfica Ltda., Brasília, DF, com tiragem de 1,5 mil exemplares, todos em formato fechado de 100x150 mm e com mancha de 78x130mm. Os papéis utilizados foram o Offset 63 g/m² para o miolo e o Cartão 250 g/m² para a capa. O texto principal foi composto em Adobe Garamond Pro 11/12,5 e os títulos em Adobe Garamond Pro 22/24. Impresso no Brasil. *Presita en Brazilo.*